目錄

引言

青山何處埋忠骨

最近幾年，我們一直在做著有關「三農」問題的調查，雖然艱苦，卻也苦中有樂。只是沒有想到，卻惹上了這樣一場官司，這官司，打得我們身心疲憊，十分的無奈。本來，我們是想把調查和思考好了的有關「三農」的另一本書，一鼓作氣地完成，但是，力不從心，我們感到難度太大，也有諸多的不便，不得不先把它放一放。

可我們畢竟是作家，作家就不能停下手中的筆，何況許多讀者也希望我們拿出新的作品，於是便決定寫一點閒筆，這就想起了過去的一段經歷。

世紀之交的一九九九年，正是共和國建國五十週年，在那個即將跨進新千年的熱鬧非凡的歲月裡，我們曾經沉下心來，以一種十分平靜的心情，翻閱過一個人的命運。這人，便是家喻戶曉的「包青天」，包拯。

其實，對包拯，大家更習慣稱他爲「包公」。他生於北宋眞宗咸平二年，即公元九九九年，一九九九年正是他的千年誕辰。一千年過去了，中國的歷史上發生了多少驚天動地的大事情，出現過多少指點江山的風雲人物，如今都消失在了歷史的深處，很少再被人們提起。但是，包公卻是個例外。他雖爲官只是二品，卻逾千年而享有盛名。每當世風日下，腐敗彌漫，忠貞之士遭受壓抑，勞苦大眾溺於水火，正氣不得伸、有冤無處訴的時候，人民便會想到這位敢說眞話、敢鬥邪惡、爲民請命的著名清官。他好像承載著一個民族的夙願與希冀，抑或成爲華夏兒女的精神支柱，伴隨著一代又一代人走過那漫長而苦難的歷史征程。

人是不能沒有夢想的。包公實際上已經成爲人們心目中的「正直之神」。

老百姓喜歡「清官」。時至今日，依然如此。但有的專家則說，國人的這個傳統實在不可誇耀，因爲把希望寄託在「人」（官）的自律上，而不是法律的他律上，終歸還是一種「人治」的陋習。但是，老百姓的觀念總是來自直覺，而直覺往往又是合情合理的。朱鎔基顯然深諳其道，他在當國務院總理後的第一次中外記者見面會上，就說，他的目標是「做一個清官」。不少人都有過不解：堂堂一個大國的總理，怎麼可以把「做一個清官」確定爲目標呢？現在看來，要眞的做好一個「清官」，確實是非常不容易的。

中國人的這種「清官」情結，是否有悖以法治國，其實，這種爭議沒有多大意義。說到底，就是在法治的社會裡，說法律是最高權威，實際上就是在說法官具有最高權威。特別當法律被違反或對法律有爭議時，尤其如此。再說，法律是靠「人」來制定的，又是靠「人」來執行的，法官的自律問題同樣不能迴避。所以，從這個意義上來說，無論是人治還是法治社會，對「清官」的企盼應該都是永恆的主題。

我們生活的這座城市，就是包公的家鄉。身爲包公故里的作家，在迎來包公千年誕辰的日子裡，不可能不對包公其人其事無動於衷。當然，包公雖出生在合肥，但他的許許多多廣爲流傳的故事，卻大多是與合肥無關的；更不用說，傳來傳去，傳到今天的那麼多故事，早就把他傳成了無所不能的神，他白天能判人間是非，晚上還可以去斷陰間曲直，那些原本別人幹過的事，甚至壓根就不曾發生過的事，都編排到了他的頭上，因此，我們最初做這項調查時，最想知道的是，眞實的包公到底是個什麼樣子？

當我們走近本書的主人公——合肥市一位文物工作者——去聽他講述有關清理發掘包公墓的那許多陳年往事，我們並沒有想到要寫一本書。因爲，我們認爲，沒誰會對挖墓的事感興趣，想想那個場面，就會使不少人敗了胃口。可是，不得不承認，聽著聽著，我們竟被發掘包公墓的故事吸引了，以致被打動。在這之前，只知道，三百六十行，行行出狀元，可沒想到竟會有人在專門研究「墳墓」，並成爲知名專家；更想不到在清理包公墓的過程中，會出現那麼多的坎坎坷坷、曲曲直直，冒出了那麼多奇怪之事、意外之事、令人髮指之事、不可思議之事、讓人淒然淚下之事、使人拍案而起之事、感人至深之事、發人深思之事。

合肥一家鋼鐵廠只是要建一座石灰窯，舉世聞名的包公墓就得搬走，可以說，這算得上中國的文明史上最荒唐的一件事了。當然，這事只能發生在以批清官海瑞揭開序幕的「無產階級文化大革命」。發掘中，一批可敬可愛的文物工作者，冒著那年頭特有的風險，憑藉他們的聰明才智和敬業精神，不僅清理出包公的遷葬墓和原葬墓，還發現了包公的「疑塚」、「衣冠塚」甚或「張冠李戴塚」，最後把包公一家老小三代人的墓群一個不剩地全都給發掘出來，這在世界的考古史上也屬罕見。

發掘中非但出土了包公墓誌，還出土了包夫人董氏、長媳崔氏、次子包綬、次媳文氏、長孫包永年六方墓誌，計八千餘字。這些長年被深埋在地下的珍貴的文字，記載了包公前後七代人的婚嫁喪葬、任職政績；特別是包公墓誌那洋洋灑灑三千多字，幾乎是《宋史》中〈包拯傳〉文字的三倍，這是包公辭世九百多年以來，唯一被發現，最全面、最豐富也是最眞實的文獻資料，它不僅讓我們了解到一個眞實的包公，還對《宋史》以及包氏家譜記載中的謬誤，作了權威性的校正，從而開創了包公文化研究的新紀元！

發掘中人們發現：地下的世界原來是那般的撲朔迷離，埋藏的簡直就是一部中華民族的秘史！當後來我們調查的範圍不斷擴大，調查工作進一步深入時，便越覺得怪事迭出，謎團叢生，甚至不能不發出人生的感歎：這個世界也眞的太複雜，複雜得讓人永遠琢磨不透！

包公在公元一〇六二年病歿開封，第二年歸葬合肥，直到一九七三年被強行「遷墳」，這中間，歷經了多少回社會動盪、多少個王朝的更迭、多少場兵燹的侵擾，但他的遺骨尚能完好地留存下來。然而，誰也想不到，在一個和平的年代裡，在冠以「建設」的名義下，包青天的遺骨卻會橫遭厄運。我們早在兒時就曾拜讀過陸游「青山是處可埋骨」的詩句，知道蘇軾在寫給弟弟蘇轍的詩中，也有「是處青山可埋骨」的句子；後來，在杭州在岳飛廟，還看到過「青山有幸埋忠骨，白鐵無辜鑄佞臣」的著名楹聯；毛澤東和周恩來都曾引用過「青山處處埋忠骨，何須馬革裹屍還」這同一詩句，這些詩，說的其實是同一個意思，這就是：國家之大，疆土萬里，青山處處，「是處」都是能夠「埋忠骨」的。即便在最黑暗的「文化大革命」期間，被打成了「地富反壞」的「四類分子」，就是被押回原籍，總還是允許葉落歸根的。

但是，被挖出的包公遺骨，已經被送回了他的故里大包村，當地政府卻不准入土，成了「死無葬身之地」。這位曾經使得那些爲非作歹的皇親國戚都感到聞風喪膽的一世名臣、千古忠魂，竟只能在合肥一處民房的山牆邊上，在臨時搭起的一間漏雨透風的「披廈」中，度過了一段屈辱與辛酸的日子。後來，在一個沒有月亮也沒有星星的寒冷的冬夜，包氏的後裔才將包公的遺骨秘密運回家鄉的龍山，偷偷埋葬了。「文革」結束之後，當合肥市政府決定重建包公墓，並設法將包公的遺骨「遷安」時，卻終因歷史造成的遺憾已無法彌補，包公最後落了個「身首異處」。

這一個個可歌可泣又讓人一嗟三歎的故事，因爲大家都能想到的原因，就這樣遭到長期的封殺，至今鮮爲人知。雖然這以後，我們改做了中國農民的調查與寫作，但有關包公墓的這段往事，卻一直凝滯在心，以致耿耿於懷。現在，因爲我們別的東西不便去寫，於是就萌生出了將這段往事記錄下來，並寫成一本書的念頭。

我們相信，我們在這裡講述的，或許是你從未接觸過的一個生活領域。這些故事，看上去充滿了傳奇，甚至還有一些宿命的成分，但我們要告訴你的卻是一個眞實的包公，以及包公一家幾代命運多舛的眞實的故事。自古道，蓋棺定論，我們在這裡要告訴你的是，即便「蓋棺」，到頭來也未必就能「定論」的故事。

1 一里三公

安徽省的省會合肥，古稱廬州府。自秦嬴置縣，已逾兩千年。這是一座有著悠久歷史的古城了。

合肥城東南十五里，史書上稱其爲「公城鄉公城里東村」，過去很長一段時間，這裡就叫它合肥市郊區大興公社雙圩大隊黃泥坎村生產隊。現在雖說它已是黃土裸露，幾無樹木，在以前卻是草木葳蕤，松柏森然。其周遭皆爲開闊的平疇之地，惟獨兀兀然隆出一個緩緩的崗頭，這崗頭雖不似峻拔的山嶺，亦無峭崖巉削的驚心動魄，然而卻也地勢高亢，氣宇非凡。

就在這氣勢非凡的崗頭之上，長眠著聞名天下的「包青天」包公。

包公生前大家就尊稱他爲包公了。宋代稱呼做官的人，通常是姓加上官名。開始時，人們稱他包待制、包學士、包龍圖；在他調任開封府尹後，由於他革除陋習，撤銷門牌司，讓老百姓直接進入大堂訴說冤情，於是，人們開始稱他爲「包老」。還編排出民謠，「關節不到，有閻羅包老」。後來包公進入「二府」，成爲北宋最高決策機關的成員之後，雖貴爲宰輔，但他的衣著、飲食和器具，卻依然「如布衣時」，人們於是尊稱他爲「包公」。如今，一千多年了，人們相沿不改，一直就都這麼叫著，以致許多人甚至不知道包公的正名叫包拯。

一千多年來，歲月延宕，戰亂不斷，黃泥坎屢遭兵燹，包公墓也早就被破壞得殘碑斷碣。但歷朝歷代又都不乏修繕之人，每每又使其幡然一新。歷史上這裡似有一條不成文的規定，大凡廬州府知府或是合肥縣知縣來此赴任，頭一件要辦的事，便是前往護城河邊的香花墩上拜謁包公祠。這既是爲了順應民意，更是爲給自己的臉上貼金。而且，每年的春秋兩季，府學教授和縣令也都少不了親率全體師生出城祭掃包公墓。

包公墓其實早在北宋年間就已經名播天下了。只是到了明代之後，在合肥近郊大興集的包公墓地的附近，又多出了兩座墳塋，於是，黃泥坎的崗坡上就有了三座巨塚鼎立相望。當地人會指著另兩座墓丘告訴你，包公墓右前方那隆起的墳包，葬的是明朝初年的開國元勳張得勝；右後方突起的墳墓，埋的是大清王朝直隸總督兼北洋通商大臣李鴻章。

也許知道張得勝其人的並不多，他是明太祖朱元璋的一名赫赫大將，最後戰死疆場，被太祖敕葬於包公墓側。

李鴻章與包拯本是同鄉，光緒八年母親病故，李居喪回到合肥，目睹自己年少讀書時經常光顧的包公祠，在太平軍的炮火中變成廢墟，感慨萬千。這位歷經過咸豐、同治、慈禧三朝皇帝，出訪過歐美見過大世面的文華殿大學士，論職位比包公高，論管的事也比包公多。包公生前只留下不過十萬字的《包拯集》，而累計足有兩千多萬字的《李鴻章全集》，則幾乎涵蓋了近半個世紀的中國近代史。李鴻章對包公尊崇有加，聯想到自己多次出面簽訂喪權辱國的不平等條約，將給後人留下「賣國賊」的罵名，竟也忍不住掉淚。後來，他獨自捐出白銀兩千八百兩，重新興建包公祠，並在他親自撰寫的〈重修包孝肅祠記〉中，藉包公之名，向世人敞開了他苦澀的心扉。臨終時，還一再囑咐他的後人，要把他葬在包公墓的附近，以表明他精神上以包公為依歸，了卻他「高山仰止」的夙願。

▲程如峰在拓李鴻章撰寫的〈重修包孝肅祠記〉。

包公病歿謚號「包孝肅」，張得勝戰

死後被追封爲「蔡國公」，李鴻章去世謚之爲「李文忠」。這樣，在合肥郊區大興集黃泥坎不到一平方公里的彈丸之地，竟長眠著宋代包孝肅公、明代張蔡國公和清代李文忠公三位歷史名人。以致被後世稱之爲「一里三公」。這在中國的國土上也是絕無僅有的。

儘管三公得到的歷史評價不盡相同，但三座巨塚的遭遇卻是大同小異的。

公元一千九百五十八年，中國的大地上掀起了全民大辦鋼鐵的狂潮，合肥鋼廠爲擴建第二鋼鐵廠，李鴻章墓首先被摧毀。因爲墓是水泥磚砌的，挖不動，有人就在墓前掏了個溝，直掏到大墓的底下，把裡面值錢的東西先搞出來，賣錢煉鋼鐵；最後將棺材也拖了出來。當時的屍體還沒化，有人找了根繩子，套著李鴻章的脖子，把他拖到公路上，暴屍三天，又拋到溝裡去。幸好李家的後代趁一個夜裡偷偷將李鴻章埋了，李鴻章才落下個全屍，但墳墓卻被炸掉。

接著，鋼廠爲興建廠區的一條鐵路支線，蔡國公墓被堅硬的鐵軌無情地覆蓋，遭到了滅頂之災。

因爲包公墓在這之前的一九五六年十一月，曾被安徽省人民委員會明文公佈爲省級文物保護單位，將其置於國家法律的保護之下，才躲過了大躍進年代的劫難。

可是，躲過了初一，躲不過十五。七年之後，當姚文元拋出〈評新編歷史劇《海瑞罷官》之後，一場以批臭清官發端的「無產階級文化大革命」便急風暴雨般地席捲而至。在那場關於清官的大辯論中，批判的結論有三：一，清官比貪官更壞；二，清官具有更大的欺騙性；三，清官實際上起到鞏固封建統治的作用。

說清官比貪官更壞，這實在是千古以來最大的荒謬。歷史上的清官，當然不止海瑞一個，除海瑞而外，尚有于謙、況鍾、彭朋、劉墉、于成龍、施士倫和劉統勳等等。而影響最大、最有光彩的當數包公。一時間，包公受到海瑞的牽連，也就成爲眾矢之的，合肥市包河公園中的包公祠被洗劫一空，包公塑像被粉身碎骨，包公後裔世代相傳保存下來的包公畫像和《包氏宗譜》被付之一炬。研究包公的專家學者隨之也犯了彌天大罪，遭到殘酷的批鬥。

「紅色風暴」中，負責保護文物的文博幹部在「上山下鄉」的號召中被驅逐出城市，安徽省博物館更名爲「毛澤東思想勝利萬歲展覽館」，簡稱「萬歲館」。文物安危無人過問也無法過問，作爲「省級文物」理應受到保護的包公墓，自然就在劫難逃，很快遭到了令人髮指地踐踏。

先是墳頭被扒開，地宮上的條石被撬壞，幾場風雨後，墓室內便有了黑洞洞的一池污水。接下來的是盜墓者，他們在寒氣扎骨的冷水裡蹚來蹚去，將可能殘留的零散碎片，也掃蕩一空。

到了一九七三年的春上，合肥二鋼要建石灰窯，在《安徽日報》登出了〈通知〉，要讓在此長眠了九百七十四年的包孝肅公挪挪地方。

〈通知〉全文如下：

合肥市革委會冶金建設指揮部因建設需要，在東郊大興公社雙圩大隊徵用土地一片（包公墓處），東起合肥造紙廠道路，西至黃泥坎土路，南自鐵路專用線，北到雙圩大隊辦公室，上述範圍內墳墓急需遷移，希各墳主於一九七三年三月十二日至三十一日前，持當地革委會證明前往大興公社雙圩大隊辦公室辦理遷墳事宜，逾期按無主墳墓處理，特此通知。

〈通知〉的內容是十分明確而又不容置疑的。這在當時，沒人會覺出其中的荒誕與野蠻。「文化大革命」中，一切工作都被看作是「革命」，工礦企業不僅是政府的直屬部門，組織上實行的也一律是軍事編制。這個〈通知〉以「冶金建設指揮部」的名義出面，就一點也不奇怪。

奇怪的倒是，遷墳的範圍已通知得那麼具體了，偏偏又要用括弧特地注明「包公墓處」，其用意當是不言自明。

到此時，「一里三公」早已去其二，黃泥坎上剩下的墳塋中，不是包公本人的，也就只能是包公家族的，「冶金建設指揮部」要墓主遷走的，顯然不僅是包公之墓，而是包公整個家族的墓群。

在中國，最忌諱的莫過於「挖祖墳」，可今天這裡要挖的，又將是一個不剩！

刊登這則〈通知〉的具體時間是這年的三月十日。有關這一類遷墳的通知，不可能會登在報紙搶眼的地方，當時重要的版面只能用於發表「批林（彪）整風」的報導，或是發表毛澤東「三要三不要」的「最新最高指示」（要搞馬克思主義，不要搞修正主義；要團結，不要分裂；要光明正大，不要搞陰謀詭計）。這已是「文化大革命」的第八個年頭了，曾經是毛主席「親密戰友」和接班人的林彪，走上了叛國的不歸路，摔死在蒙古的溫都爾汗；而一向被視爲美帝國主義的尼克森總統訪華，毛主席和尼克森長達一分鐘的握手，又宣告了中國共產黨和美國政府自一九四六年以來敵對關係的結束；「大刀向鬼子頭上砍去」的歌聲還在耳邊縈繞，田中角榮接著就訪問中國，兩國發表了聯合聲明，「實現了中日邦交正常化」。這一切，對普通的老百姓來說，都來得十分突然，以致眼花繚亂。究竟什麼是馬克思主義，什麼是修正主義，大家不是越來越清楚，而是越來越糊塗了。不糊塗的是：建設石灰窯就是建設社會主義，誰的祖墳也得讓路！

只是，合鋼二廠的頭頭們還算清楚，報紙上對清官開展的批判與老百姓心裡所想並不一樣，還是怕招惹出什麼麻煩。他們也還知道包公墓曾經被列爲省級文物保護單位，怕有人注意不到〈通知〉，就又主動與省「萬歲館」取得聯繫。

當時留城堅持工作的文博幹部吳興漢，出差剛剛回到館裡，聽到鋼廠要求遷移包公墓的消息，不禁吃了一驚。「文物保護單位怎麼可以隨便說遷移就遷移？」他在文物方面的整個思路，絲毫沒有受到運動的影響。

在安徽省的文博隊伍裡，吳興漢算是一個「老兵」了。我們去採訪他時，他已經完全從崗位上退了下來，在家頤養天年。新中國才成立不久，還是在皖北區科普協會工作期間，省裡剛組建博物館的籌備處，他就調了進去，搞起了文物的徵集工作。一九五四年秋天，中國科學院、國家文化部協同北京大學開辦了一期全國文物考古訓練班，他便有幸成了一個「北大人」。實習期間去西安時，又正巧碰上對半坡遺跡的發掘，他榮幸地成了其中的一名參與者。學成歸來，回到安徽後不久，他就參加了兩千五百年前春秋晚期蔡昭侯墓的發掘。當時出土各種精美的青銅器多達四百八十六件，各種玉器及金飾九十八件，這事轟動了中國的文物考古界！那時候出土的銅鼎、銀壺，至今仍是安徽省博物館的「鎮館之寶」。當吳興漢護送那些出土文物到北京故宮的保和殿去展出時，當時的中國科學院院長郭沫若曾激動地說：「這眞是動人心魄的重大發現！」

現在，包公墓要動遷，吳興漢感到不可思議。他起個大早，乘坐從市政府廣場開往東郊大興集的班車，然後心急火燎地攆到黃泥坎。到了包公墓地，吳興漢一路上懸著的那顆心，竟好像被誰猛地從胸腔中掏了出來，又重重地摜在崗頭上。他無論如何想像不到，眼前竟是一片淒涼而又狼藉的景象：雖然尚有十幾座大小不一的土墳丘仍原封不動地凸現在那兒，包公的墓丘卻分明已經被挖開，墳頭不見了，原來是墳頭的地方，現在成了一個面目猙獰而醜陋的大坑，坑裡盛滿了骯髒不堪的穢水。

這情景看得吳興漢的眼睛止不住一熱，差點落下淚來。

問附近的農民，農民說，這包公墓早在五年前就被人挖開了。

看來，包公墓已無法實施保護，包氏家族的其他墓丘被破壞也只是遲早的事。唯一還可以去做的，就只有對包公墓群進行一次科學清理，以保護好其中的文物，並力所能及地獲得比較完整的發掘資料。

從大興集黃泥坎回來之後，吳興漢就上上下下地忙活開了。

不幸中之大幸，省「萬歲館」的領導小組對這事十分重視。他們很快向上級寫出了報告。當時安徽省的黨政一把手李德生，不僅做出正式的批文，還撥出三萬元專款，明確指示由省「萬歲館」、市文化局、合肥鋼廠、大興公社以及包公後裔聯合成立一個「包公墓清理發掘領導小組」。

現在回頭去看，李德生主持工作的安徽省革命委員會，雖然沒有阻止「合肥市革委會冶金建設指揮部」登出的那個荒唐的〈通知〉，但是在那樣一種形勢下，能下達這樣一紙公文，做出如此

▲發掘包公墓領導組部分成員（自左至右：1.合肥市文化局幹部汪冰盈；2.包公三十三代孫、包公祠職工包義旭；3.合鋼二廠幹部張國麟；4.「支左」解放軍戰士王××；5.合肥市文化館幹部程如峰；6.安徽省博物館業務幹部、發掘主持人吳興漢。）

決定，還是十分不容易的，至少顧及了民間對包公的感情。

參加現場工作的具體名單很快得到落實，順理成章，吳興漢擔當起了這項清理發掘工作的主持人。由於這事引起了省市有關部門的重視，《安徽日報》上登出的〈通知〉中所限定的遷墳日期，就變得毫無意義。

包公墓的清理發掘，在中國的文物考古史上，堪稱一件大事。卻因爲發生在那樣一個非常的年代，中國所有的新聞媒介，從一開始就對它表示緘默，以致迄今鮮爲人知。

但是吳興漢記下了這個不該被遺忘的日子，這項足以牽動世人魂魄的發掘工作，是從一九七三年的四月十一日正式開始的。

2 挖出了包公墓

清理挖掘的隊伍很快開進了黃泥坎。省市各有關部門抽調出的人員集中到一塊，竟也有三十多位。不能說人手少，但吳興漢心裡十分清楚，除去他和「萬歲館」派來的探墓技工陳廷獻，其餘的基本上可以說是門外漢。

當然，如果用「門外漢」來作比方，又肯定要鬧笑話。僅就「萬歲館」抽來的七個同志中，姑娘們就佔了一多半。她們不光不熟悉文物發掘工作上的常識，連這場面也不曾見到過，全是館裡在搞井岡山展覽和安徽省革命史展覽時，從一些單位先後調進「萬歲館」擔任講解工作的。

「萬歲館」抽來的方篤生，情況有些特殊。他在以後的發掘工作中，起了重要的作用，但最初決定抽調他參加時，他卻是極不情願的。他是個搞舊石器研究的人，在吳興漢

▲參與挖掘的部分民工

被派往北京大學接受考古工作訓練後不久，他也就被派到了中國科學院古脊椎與古人類研究所去學習。他從事的專業與發掘包公墓風馬牛不相及。包公只是北宋人，包公墓也只有八九百年的歷史，同「古人類」扯不到一塊去。

方篤生不想參加發掘組還有別的原因。「臭老九」的帽子還依然戴在他的頭上，沒事人家都把他這個搞舊石器、古人類的，看成是搞「四舊」的，現在要去發掘的又是敏感的包公墓，究竟會引起些什麼麻煩，是誰也說不清楚的。

好在方篤生確實又是個禁不住勸的人，看當講解員的女同志都被動員了去，才一聲不吭地去了黃泥坎。

遷移包公墓群，既然是合鋼二廠的「建設需要」，工廠基建處的張國麟和王占魁，從一開始就理所當然地成了「包公墓清理發掘領導小組」的成員。一個長得人高馬大，一個顯得又矮又胖。這一高一矮一胖一瘦相映成趣的兩位「工人老大哥」的到來，不僅爲發掘工作提供了物資供應上的保障，還給大家帶來了不少歡樂。

在這支不大不小的發掘隊伍中，還有兩位包公後裔：一個是包公三十三代孫包義旭，族內稱他爲「毛老爹」，是包公嫡系後裔八十多人之中輩分最高、年齡最長者；一個是包公三十四代孫包遵元。他倆都是包公祠的工作人員。請他們參加包公墓現場的清理工作，考慮的不光是在包公後裔中的輩分，或是年歲。組織上看重的是：兩人均世代清苦，爲典型的城市貧民，又不認識多少個字。如果成分高、文化也高的話，組織上是不可能批准由他們二位作爲代表的。這一點，在當時尤爲重要。

別看「毛老爹」包義旭肚子裡的墨水不多，心裡卻十分清楚。打從三歲那年起，他就騎在父親的脖子上，年年清明去給包公掃墳燒香磕頭；每逢過年，包家闔族都要在包公祠的包公塑像前祭祖。包公在他的心目中是至高無上、神聖不可侵犯的。想當初，作爲包家的後人，不論走到哪裡，人們都以欽佩、尊敬的目光望著他，讓他實實在在地感受到身爲包公的子孫是值得驕傲和自豪的。可如今，一個早上，包公變成了封建王朝的孝子賢孫，成爲被橫掃的「牛鬼蛇神」，先是包公祠被砸，接著包公墓被挖，今天還要他參加「領導小組」，徹底清理自己的祖墳。眞不知道他有什麼感受。

合肥市文化局最初派出的汪冰盈，是個女同志。雖然現場上的體力活有民工們去幹，可是早出晚歸的，中午連個休息的地方也沒有，幾天下來，還是讓她感到吃不消，希望局裡再抽調個男同志。就在文化局的領導研究抽誰合適時，才猛地想到了一個人，此人就是早就嚷嚷著想去搞文物工作的程如峰。

程如峰是一九四九年二月投筆從戎的老戰士，離開部隊後被分配到了合肥市委宣傳部。參軍之前，程如峰就是省立師範的一個高才生，轉業後實指望能在事業上有所成就，卻不料屢屢遭挫：先是在市文聯負責《合肥文藝》，剛把雜誌辦起來，「三年困難時期」突然撤銷文聯，雜誌自然就停辦了；後調入文化局，在劇目室編劇，剛剛才熟悉編劇的業務，「文化大革命」又將他趕出合肥，去了遠離城市的長豐縣杜集「五七」幹校，一耗就是五六年光陰。從杜集「五七」幹校重新回到合肥，回到文化系統之後，他就毅然決然要求去了文化館，成了合肥市歷史上第一個文物專職人員。包公墓的挖掘，正好給了他開始新人生的大好機會。

愛動腦動手的程如峰很快成了吳興漢的得力助手。

包公遺骨記

陳桂棣、春桃　著

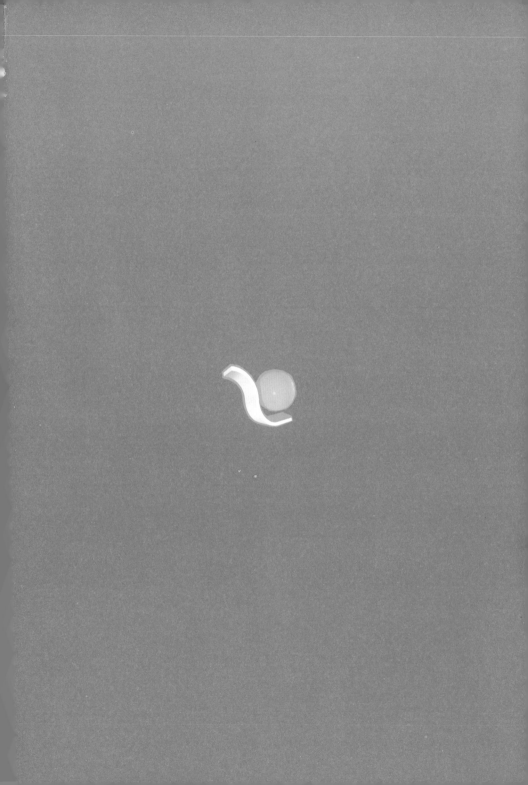

因爲一切工作才剛剛開始，程如峰所具有的能力，一時半會兒還很難讓人看得出來。因此，面對黃泥坎上的這支「雜牌軍」，吳興漢的心裡一直不踏實。

吳興漢最不踏實的，莫過於眼下這種糟糕的時局：所有圖書館的古籍書庫和有關的歷史文物均被塵封了。參加到發掘組裡來的包公三十三代孫包義旭話雖不多，卻明確無誤地告訴他，世代相傳的包氏家譜及相關的文字材料全在這場「文化大革命」開始時就被毀之一炬。就是說，必不可少的前期資料的準備工作無法進行，只能夠兩手空空，倉促上陣，「摸著石頭過河」了。

幸好吳興漢還有陳廷獻。

陳廷獻是洛陽人。洛陽地處中原，爲東周、東漢、西晉等九朝的首都，地下的文物極爲豐富，古往今來，盜墓者眾。陳廷獻就是盜墓世家之後，打小就練就出一副非凡的身手。他憑藉著一種特殊的工具，可以神奇地探入地下，無須先把墳包挖開，便可知道是個什麼樣的墓，以及那墓的具體年代。解放後，陳廷獻棄暗投明，一九五六年被請到安徽，成爲安徽省博物館著名的探墓技工。在轟動一時的壽縣西門內春秋晚期蔡昭侯墓的發掘中，曾大大地露了一手。

陳廷獻操使的那種特殊的工具，如今的文物考古界叫它「洛陽鏟」。這是精明絕頂的洛

陽鐵匠和盜墓者，經過數代人的不斷完善，共同創造出來的探墓之寶。那鏟頭看上去呈半圓形，中空、壁薄、口利、柄兒長，上面接著竹竿、木棒，或是繫著麻繩，用它探入地下，就能把數丈之深的泥土取到地面上來，然後，從土的成色上分辨出墓土和原生地。洛陽以外的能工巧匠依樣仿造，即便以假亂眞，但就是不能從地下帶上土來。

發掘包公墓，陳廷獻自始至終都顯得格外興奮。剝奪一個揮慣了「洛陽鏟」的人探墓的權利，這等於剝奪了他施展絕技的舞台。這是陳廷獻最感難耐和苦悶的事情。探墓工作已成爲他生命中最重要的組成部分，有著他人生的價值和榮譽。可是，「文化大革命」鬧騰的七八年來閒得他心裡發霉。現在一走上黃泥坎，大夥發現，他那一年四季黑黑的臉膛子泛出了紅光。

陳廷獻的工作是有條不紊的。他從墓群的周邊打起，前前後後，上上下下，打出了上百個「探眼」來。地下打上來的土，經過陳廷獻認眞辨認，結論出來了：上方，有一座主墓，地面上的墳丘最大，高約五公尺；地下的墓室也最大，長寬均在三四公尺之間，而且墓室是由堅硬的石料構築。初步可以肯定，這當是包公墓無疑。

主墓的後面，即在「先塋之次」的位置上，有著十幾座墳塋，大體匀稱地分佈於主墓中軸線的兩側。估計這是包公子孫之墓。

從「探眼」取上來的土色判斷，左下方有一座小墳，遠遠偏離了整個墓群，又是座土坑墓，憑經驗，料定它與包公的關係比較疏遠。

陳廷獻將地下墓室分佈繪製成一張草圖交於吳興漢。吳興漢十分滿意。有了這些可靠的資料，他就可以下決心了。

吳興漢決定先從位置卑下、偏離墓群的那座小墓開始動手。這可以理解爲他是要先易後難，當然也是一種「投石問路」。

這多少也體現出了吳興漢的個性，他是個做事比較穩重的人。這是他第一次發掘宋墓，宋墓的結構，他一點不了解；包公官至二品，二品官員的地宮會是什麼樣子，就更不清楚。但是，有一點是不容懷疑的，如果先從最高最大人人都說是包公墓的那座墓開始發掘，就太冒險了。從陳廷獻探上來的地下墓土看，那座孤墓雖小，雖偏離墓群，其土色卻是與其他大墓沒有多大區別，也可判斷爲宋墓，因此，來個「投石問路」，無疑是能夠摸索出一點經驗的。

小墓的主人葬得並不深，墓上的封土高約三公尺，且成不規則的半球形。從「封土」，到「塡土」，都不見夯層，更沒有發現夯窩，足見入葬時的匆忙和草率。這是座土坑墓，挖起來很方便，派上去的大興公社的民兵，沒費多大的氣力，就清除掉了封土，露出了墓坑

來。

看得出，墓坑的東西兩壁略向內傾斜，呈現弧形；坑內的塡土均爲純淨的「五花土」，即「墓土」，既無夯層，更無任何擾亂跡象。但等到細心地除去棺木上的泥土，大家都吃了一驚：

挖出的，居然是一口楠木棺材！

楠木棺材的出現，使吳興漢大爲意外：小墓所葬的，分明不是一般的墓主！

儘管是土坑葬，儘管年代已經久遠，楠木卻還算好，透著一種純粹的咖啡色，而上面原先刷著的髹黑漆，現在漆皮多半剝落於棺底的兩側。

待把棺木周圍的泥土完全清理乾淨之後，吳興漢又是一怔：

他發現，楠木棺材的底板兩邊，竟然排列有序地懸掛著六個供當時執紼抬運用的大鐵環！

墓主何許人也，竟然受到如此規格的禮遇？這在他多年的考古生涯中，卻是聞所未聞的。

越發使人感到蹊蹺的是，經過一番仔仔細細地清理之後，只在棺材裡發現了一些已經是殘缺不全的人骨，卻並未尋找到其他器物。

沒有一點有價値的文物，這多少使得吳興漢有些掃興。但是，搞古人類研究的方篤生，他的興奮點本來就不在有沒有器物，而是在遺骨。雖然遺骨並非遠古化石，他還是下意識地跳了下去。

方篤生認爲，在這個臨時組建的發掘的隊伍中，甚至包括吳興漢在內，沒誰會對死人的骨頭有興趣，但這正是他的優勢所在。

黑糊糊的棺木之中，透出一股逼人的寒氣，一直沒離開現場的那幾位講解員姑娘，這時早嚇得躲到了一邊去。

程如峰自打來到黃泥坎，就對現場發生的一切懷有莫大的興趣，發掘工作的每一道程序，他都默默地觀察著、研究著。見方篤生跳進剛打開的墓室，也想跟著跳下去，但還是猶豫了一下。他別的不怕，只怕不懂業務，下去後添亂。後來見方篤生一個人在棺內細心地清理淤土，尋找散落的人骨，心想這種工作還是可以幫上手腳的，這才跳下去。

他們從淤土中先後找出墓主的頭骨、肩胛骨和肋骨，還找出了大量的人骨碎片。方篤生憑著經驗，分別認出了墓主的頭蓋骨和四肢骨。

最後，又一次出現了一樁讓所有在場的人都大感意外的事，就在這個小小的墓室之中，居然清理出了兩合重疊豎立著的，長寬都在一公尺以上的墓誌石。

先發現的那塊墓誌蓋上，陰刻著十二個厚重的隸字：「宋故永康郡夫人董氏墓誌銘」。這是宋朝的墓穴無疑。但「永康郡夫人董氏」是誰？沒人知道。

再看另一個墓誌蓋，程如峰驚得眼睛都直了。他分明發現，那上面清清楚楚地陰刻著十六個同樣蒼勁的隸字：

宋樞密副使贈禮部尚書孝肅包公墓銘

這就是包公墓？

這怎麼可能是包公墓！

當兩合墓誌石被吊到地面上時，在場的所有人差不多全傻了眼，難以相信，卻又不容置疑！

一個墓室，一口棺材，放有兩個人的墓誌銘，這在中國的考古發掘史上尚無先例。但是，這肯定無疑是包公墓，而且，它還是包公夫婦二人的合葬墓。奇怪的是，他們爲什麼會被葬在這個位置？

既然這座位置卑下、偏離墓群的極不起眼的小墳丘，是包公夫婦的合葬之墓，那麼，

上方那個又高又大一向被世人公認的包公墓，又會是誰的墓塚？

程如峰大惑不解。吳興漢更是一頭霧水。

吳興漢所以避開那座高大顯赫的主墓，先找個游離墓群看似卑微的小墓動手，原本只是想摸索出一點經驗，最後再去解決包公墓，誰知歪打正著，倒是把包公墓給挖出來了！

二十多年的考古生涯，吳興漢第一次被搞得暈頭轉向，摸不到北。

3 關於包公墓的三個傳說

能被人民普遍接納與推崇的歷史人物，不是可以「封殺」的。不僅「封殺」不了，還會物極必反。「文革」對清官的批判，誘發的，只能是人們的逆反心理。合肥人一直將這座古城視之爲「三國故地、包拯家鄉」，並引爲驕傲，對包公墓的發掘，顯然給他們提供了感情宣洩的機會。

包公墓的發掘工作沒作任何聲張，是靜悄悄地進行的，消息甚至還是被嚴密封鎖，但依然快捷得有如一陣疾風，一個早上，就刮遍了全城的大街小巷，鬧得家喻戶曉，婦孺皆知。

這可是包公的家鄉啊，平民百姓對包公的感情，豈可用車載斗量。有關包公的任何故事，自然都會格外地引人注意。很快，在流傳開來的有關包公墓的故事，就有三則：

一是說，包公生前有一個兒子，這唯一的一個兒子性子還特別的強，平日總愛跟包公

「頂牛」。包公叫他朝東，他准會朝西，包公要他去打狗，他偏偏要打雞。包公臨終時，心想，要是叫兒子做口木頭的棺材吧，他准會做成石頭的，於是就特意叮囑兒子給自己做口石頭棺材。誰知兒子聽了，偏就這一次認了眞，暗忖：自己跟老人家頂了一輩子牛，最後一個要求，還能不聽嗎？於是就眞的做了口石頭棺材。正因爲包公是睡在石棺之中，屍體化不掉，靈魂出不來，就永遠不能超生，所以世界上就再也沒有出現包公了。

二是說，包公墓室裡有三道門，第一道門設了暗箭，第二道門灌滿了水銀，第三道門放有專斬皇親國戚的龍頭鍘、專斬貪官污吏的虎頭鍘，以及專斬地痞惡霸的狗頭鍘。他的墓是太歲頭上的土，誰也不好輕舉妄動。

再就是說，大興集的包公墓是假的，眞正的包公墓誰也不知道埋在哪裡。因爲，包公生前執法如山，得罪了許多皇親國戚、貪官污吏、地痞惡霸。這些人對包公恨之入骨，將包公焚屍碎骨也難泄心頭之恨。包公的家人心知肚明。因此，包公過世之後，從開封運了回來，家人做了二十一口同樣的棺材，由合肥當時的南熏門、時雍門、威武門、西平門、水西門、拱辰門和得勝門，七座城門同時朝外出殯，讓人眞假難辨，誰也不知道包公最後被葬在哪裡。

這些撲朔迷離的傳說，爲包公墓的發掘平添了一層神秘色彩，激發了人們更大的興趣

▲全體工地保衛人員

和好奇心。

大興集在當時已屬合肥郊區，平日從市政府廣場發往大興集的班車，乘客並不多，也多半是中途下車。車開出市區後，常常是空空落落、冷冷清清的。可是，自打包公墓群正式探墓的第一天起，這條線路的班車便人滿爲患。車廂裡明明已經被塞得針插不進，一個個全成了沙丁魚，下面的乘客還大喊大叫地拼命往上擠。不光是這趟班車，凡是市內朝東開的各線公交車，都突然變得火爆起來。許多在合肥住了大半輩子也沒聽說過黃泥坎的，也加入到這股潮流之中，滔滔似水，一浪浪向東郊捲去。

沉寂了千百年的黃泥坎，一下子變

得人頭攢動，熱鬧非凡！發掘現場很快被圍了個水潑不進。已經擠進裡邊的人，想看得更眞切，仍不斷向前挪動；站在外層的，更是奮力向裡擁。於是圍觀的圈子越縮越小，越擠越亂，一時間，小孩哭，大人喊，最後亂成了一團。

就在陳廷獻探墓的第三天，整個發掘工作不得不中途停了下來。吳興漢不得不向市裡緊急求援。當天，市公安局就派來了治安民警張西覺。他爲黃泥坎平添了一道風景：沿著現場的四周，拉出了一圈用鐵絲網架起的警戒線。有了鐵絲網，圍觀的人就都被限定在了「楚河」「漢界」之外。不過，總會有幾個好事者帶頭撞線。有人敢帶頭，就有人敢效仿，於是，三三兩兩，趁其不備，變戲法兒似的，就出現在了網內。這些人不及時規勸出去，更大量的人群於是跟著就會明目張膽地跨進「雷池」。

張西覺太了解這種心理了，他從拉起鐵絲網的那天起，就沒有脫下過身上的那套警服。他知道，警服的存在，比他的存在更重要。那是一種威嚴，一種震懾。後來天氣漸漸變熱了，哪怕揮汗如雨，他也沒把警服脫去。

合鋼二廠基建處抽到現場工作的張國麟和王占魁，不僅及時地提供發掘工作所需要的各種物質，也及時組織起處裡的民兵，去配合張西覺。不久，合肥警備區也派來了兩名戰

士，來到黃泥坎協助民警搞好治安保衛工作。兩個忠於職守的小戰士，因爲年齡都不大，又少言寡語，以致我們在二十六年後採訪這件事情時，許多當事人竟然都說不出他們的名字。在程如峰提供的一張照片上，其中有一位被喊作「小王」的戰士，就站在文物工作者們的中間，矜持地望著鏡頭，還有點孩子氣的靦腆。

挖出包公墓誌的那一天，圍觀的群眾人山人海，顯然還是有關包公墓的那三個傳說起了作用。人們都想知道，包公是否眞沒化屍，睡的是否就是石棺，包公墓室之中是否眞有三道門，每一道門是否都設有「機關」。最重要的，也是大家最關心、最好奇的，還是那個七座城門同時朝外出殯的故事，都想親眼看一看，大興集黃泥坎挖出的是否眞是包公墓。

▲挖掘助手、省博物館講解員（左：張愛琴；右：仲淑敏）

當然，包公墓誌的出土，說明了一切。何況，不僅出土了墓誌蓋，還出土了詳盡的墓誌銘。墓誌銘的撰寫者、書寫者，上面也都刻得明明白白：編纂包公墓誌銘的，是包公的同時代人，同朝同爲樞密副使的吳奎；書寫墓誌銘的，亦是同朝的知國事監書學楊南仲；撰寫墓誌蓋的，同樣是同朝「溫州里安縣令」、

「甥將仕郎」文動。

一下有了這麼多珍貴的文物出土，早想在文物考古的事業上大幹一番的程如峰，其激動興奮之情自不待說。就在大夥忙著現場清理的時候，他就已經爲自己安排好了一份工作。只見他把包公的墓誌石小心翼翼地搬到附近一個墳包的旁邊，照著原樣拼湊好，找來抹布，蘸著水，一點一點地，把誌石上的淤泥擦去。漸漸地便看清了，誌石上留有明顯的打擊痕。

碎成五塊的墓誌石有明顯的打擊痕，表明包公的墓誌曾經被人破壞過。

誰會對包公懷有如此深仇大恨？這事究竟何人所爲？這些，不可能會在短時間內搞清楚。

程如峰花了整整兩天時間，將包公墓誌上的淤泥徹底清除乾淨，這才發現，要把誌石上的那些刻文完整地記錄下來，是一件十分困難的事情。由於時間的久遠，又由於人爲的破壞，上面有許多字漫漶不清。不過，有一點，卻是可以肯定的：誌石上篆刻的正是包公的生平事蹟！

現在，再清楚不過了，挖出的這個小墳，正是包公墓。不僅是包公墓，還是包公夫婦二人的合葬墓。因爲墓室中不僅出土了包公的墓誌石，同時還有「永康郡夫人董氏」的墓

誌石。

然而，當這一點已經確信無疑之時，另一件幾乎不可思議的事情，便凸顯而出：從事古人類學的方篤生發現，全部的人骨，只來自一個人的骨架。這就是說，從包氏夫婦二人的合葬墓中收集到的，實際上只有一個人的遺骨！

這遺骨，究竟是包公的還是包夫人的，一時難辨。一口棺材放著兩個墓誌銘，在中國的考古發掘史上更是罕見。而合葬墓的墓室中又只放有一個人的遺骨，就更是曠古絕今了。

更奇怪的是，當程如峰把已經碎成七塊的董氏的墓誌石往一塊兒拼時，結果發現，無論怎麼拼湊，它都缺了一個角。他請民工把墓室裡面的淤土，仔仔細細地又過了幾遍篩子，可那缺了的一角卻好像被蒸發了，或是溶化了，再也找不到！

整個墓坑裡的填土，均為純淨的「五花土」，也就是大家常說的那種「墓土」，而那些土並沒發現有被擾亂過的痕跡。可是，包公的墓誌石裂成了五塊，董氏的墓誌石碎成了七瓣，而且還缺了一角，又分明是被十分惡劣地破壞過。這究竟都說明了什麼呢？

程如峰百思不解。

吳興漢和方篤生，也覺得事有蹊蹺。

探墓技工陳廷獻，雖說在操使「洛陽鏟」上有著兩手令人嘆服的絕活，此刻也是驚得大張著嘴巴，露出一副不可思議的樣子。

在現場，最感到意外的，可以說，莫過於包公三十三代孫包義旭了。當包公的墓誌石還是從偏離墓群的那座小墓中被發現的時候，那一刻，他就呆若木雞一般地死死地盯著正在向上升的墓誌石。

「這怎麼可能會是包公墓？」他囁嚅著，如墜五里霧中。

自從記事時起，每逢清明時節，他都要跟著家人到這兒來祭掃包公墓，每次祭掃的可都是最上面那座又高又大的墳墓呀！

他的大大（合肥人稱父親），他大大的大大，祭掃的也都是那座主墓。這麼說，包氏後裔年年祭掃包公墓，年年都摸錯了老墳頭？

他是親眼看過《包氏宗譜》的。《包氏宗譜》的文字記載和墓圖所畫，可全都是那座高高大大的主墓！難道祖祖輩輩世代相傳的家譜也搞錯了？

包義旭向離小墓三十多公尺開外的那座高大的主墓望過去，目光中，充滿著震驚。他眼中那原本熟悉的主墓，突然間變得不真實，變得陌生起來。是呀，夕陽的餘暉中，那巨大的墳塚裡，埋藏著的究竟是些什麼呢？

4 想起了包河

程如峰開始忙碌起來。

他知道在挖掘包公墓的現場，自己只是一個門外漢，幫不上什麼忙。但自己古文基礎還行，曾經接觸過一些史書和志書，如果能找到有關包公的一些文字材料，並加以研究，說不定是可以助上一臂之力，甚至有可能破譯隱藏在包公墓中的那些秘密。

這天，他早早地朝安徽省圖書館的古籍部走去。

安徽省圖書館建在風光旖旎的包河之畔，但它的古籍部卻是在遠離包河的逍遙津附近。在那裡，有一位程如峰十分敬重的女管理員，他希望能得到她的幫助。

這位管理員的名字叫丁寧，出身於揚州的書香門第，終生未嫁。早在合肥市文化局劇目室工作時，程如峰因爲創作古裝戲，常常去省館古籍部查閱資料，與丁寧早已熟悉。雖說「文革」以後彼此再沒接觸，但他聽到丁寧在運動初期公而忘私力保古籍的故事，至今

想起還十分感動。他相信，那故事不會是杜撰，那符合她的人品與個性。紅衛兵掃「四舊」掃到了省圖書館的古籍部，按照當時的形勢，古籍部的許多藏書都將難逃厄運。紅衛兵已經在院子裡燒起了火堆。但就在一夥人要衝進大門採取「革命行動」時，看上去長得很單薄，渾身透出書卷氣的丁寧，突然往門洞裡一站，威嚴地說道：「這裡的一切財產都是國家的，誰也不能亂來；要燒，就請燒我私人的！」說著，她把自己用大半生省吃儉用積攢下來的錢買的書，一摞一摞地抱出來，堆在門口的地上。很顯然，她是料到會有這一天的，而且是做了充分準備的。

在場的紅衛兵，居然被丁寧那凜然正氣給鎮住了，誰也沒敢進去，只把丁寧交出的書燒了個精光。而古籍部的所有藏書都分毫無損地保存了下來。事後，丁寧大病了一場，她是心痛自己的書啊！

走近逍遙津時，老遠就見古籍部大門緊閉，程如峰的心不覺直往下沉。走到近處，才發現，門雖緊閉，卻沒上鎖，他驚喜地走上去敲門。

很快，裡面就傳出了腳步聲。走過來開門的，正是丁寧。

原來古籍部雖仍未對外開放，但這些年丁寧仍每天按時趕來上班，風雨無阻。程如峰提起運動初期燒書一事，她的眼圈還紅。

丁寧說，她早就聽說鋼廠要建石灰窯，包公墓群要統統挖走。但她實在沒有勇氣目睹這種場面，因此一直沒有去黃泥坎湊熱鬧。她說，「文革」不僅讓我們付出了肉體的代價，還從精神上摧殘了我們，它不僅擊垮了人們的信仰、理想，還從根本上扭曲了中國人的性格和靈魂。聽到程如峰說日前已經把包公夫妻二人的合葬墓挖出來了，她的眼神有些發呆。隔了好一陣，才自言自語地說道，她同許多合肥人一樣，知道包公這個歷史人物，最初來自《包公案》裡面的那些破案故事。其中不少故事充滿著傳奇色彩，具有強烈的吸引力，因此，包公作爲「包青天」的形象，遠在兒時就深印腦中。以後在《元曲選》中接觸到了包公更多的故事。她注意到，在現存的元戲曲中，十齣戲曲竟有七齣是有關包公的，無不膾炙人口。再後來，在明代馮夢龍《醒世恆言》、《醒世通言》，以及凌蒙初《拍案驚奇》中的許多章節裡，都讀到過包公的故事。當然，在中國的老百姓中影響最大的，要數清代石玉昆一百二十回的長篇小說《三俠五義》，和後來被俞樾根據石玉昆口述重編的同樣是一百二十回的《七俠五義》了。兩部演義，都將包公與江湖俠義扯在了一起，因爲其中的故事寫得通俗易懂，可讀性很強，以至大行於世。

這些故事中的包公，離眞實的包公已愈來愈遠，甚至把他刻畫成了白天能斷人間是非，夜裡可辨陰間曲折，儼然成了閻羅再世。也正是這些戲劇、小說和傳說，才使包公這

一曠世清官深入人心，並一代一代相傳下來，令歷朝歷代的帝王將相自愧不如，使一切爲政者黯然失色。這無疑是一種獨特的社會現象，它在整個中國的歷史上恐怕都難尋其再。

她感慨道：「人生苦短，而包公的人生卻是長而又長，幾乎可與歷史並行與並存。他那長而又長的人生，當然不是用生命的方式，而是因清正廉潔、鐵面無私的高風亮節！」她說，要動包公墓的消息一傳出，她就像被誰當胸扎了一刀。這些日子，她有事無事去了幾回包河，不去不知道，一去嚇一跳！包河公園裡的包公祠、包河藕，還有聞名天下的那個廉泉，無一倖免，均被毀壞，看了讓人心寒。

談起祖宗留下來的這些古跡慘遭破壞，丁寧的心情有說不出來的難受。她說，包河原只是合肥護城河的一段，至於這一段爲什麼稱作「包河」，還眞與包公有關。一次，宋仁宗趙禎封賞功臣，包公不僅被封爲「龍圖閣大學士」，還由於包公曾替仁宗找到過親生母親李太后，仁宗十分感激，所以又決定把半個廬州城封賞給他。包公卻執意不受。宋仁宗很納悶地問他爲什麼，包公說：「臣做官，爲的是社稷和百姓，不是爲邀功請賞。」但宋仁宗執意要賜，包公沒法子，便主動要了這段護城河，說是留予後代子孫。宋仁宗聽了不免更加詫異。包公解釋道：「臣將這段護城河交給後代，自有想法。有了這段河，再富富不到哪裡去，但也餓不著，河面雖然不大，卻可以養魚，也可以種藕。那都需要勞動，臣只希

望自己的子子孫孫能自食其力，不要做不勞而獲的人。」仁宗聽了非常感動，就依了包公。

這當然是傳說。但是北宋年間就建成的包公祠，世代修繕，一直就巍巍然坐落在這段護城河的一塊名叫香花墩的綠洲之上。祠堂四面環水，長橋臥波，竹樹陰翳，夏日荷花萬柄。說也奇怪，滿世界的藕，藕絲一般都是很多的，且藕斷絲連。惟獨這包河裡的藕，絲卻極少，有許多根本就沒有絲，一刀切去，清清爽爽，粉白、脆嫩、光潤。這既不是民間的傳說，更不是名人的演義，包河裡的藕就是這般出奇。因此，包河藕遠近聞名，外埠客人來到合肥，總要先睹爲快，然後設法先嘗爲快。由此引發出一個典故來，這就是：包公一身無私，包河的藕竟也一身無絲！

丁寧說，隨著這場「文化大革命」，包河已經被徹底毀掉了。

聊到這個話題，程如峰的心情同樣不輕鬆。他說，包公祠早先的模樣，在包公墓清理發掘現場的工作人員中，除去包公三十三代孫包義旭、三十四代孫包遵元，就數他最清楚了。一九四九年早春二月，他隨大別山的游擊隊進入合肥，分配在皖北軍區司令部直屬政治處當宣傳員，當時他去得最多的，就是包公祠。倒不是因爲閒情逸致，而是去爲戰士們上文化課，講政治時事。那時候祠堂的迴廊裡拴著幾十匹曾身經百戰的高頭大馬，一個個

膘肥肚圓，不時地振鬛長嘶。那情景，現在想來未免有辱斯文，可那是在戰爭年代，一切又都那麼平常。正殿是當時的課堂，有著端莊威嚴的包公塑像。那塑像白臉長髯，與程如峰腦海中鍋底臉、額門上有一月芽的包公形象迥然不同。或許正因爲此，才留下了難忘的印象。

以後脫下軍裝，轉到地方，他就再也沒有離開過合肥了，包公祠自然便成了他陪伴友人觀光遊覽的好去處。他發現，包公祠很快被人修復一新，殿堂內那高大的包公坐像，已不再是一張白臉，古銅色的塑像蹙眉平視，長鬚飄拂，倒也顯得威嚴而又冷峻，透出一股浩然正氣，使人一看，敬慕之情頓然而生。那時塑像的正上方早恢復成了先前的模樣，懸掛著清朝康熙、乾隆、同治和光緒年間分別題寫的橫匾，讓人過目不忘：「高風嶽立」、「節亮風清」、「色正芒寒」、「廬陽正氣」……

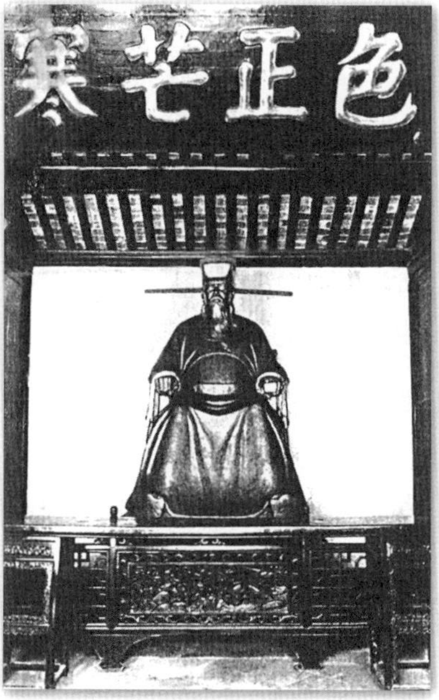

▲合肥包公祠正殿

還有幾副楹聯，寫得情景交融，且發人深思，程如峰至今記憶猶新：

一水繞荒祠，此地眞無關節到；
停車肅遺像，幾人得並姓名尊。

凡吾輩做官，須帶幾分骨氣；
謁先生遺像，如視三代典型。

照耀千秋，念當年鐵面冰心建讜言不希後福；
聞風百世，看至今婦人孺子頌清官只有先生。

包公鐵面無私、秉公執法，好比閻羅一樣不講情面，休想打通他的關節；但他當年在河南陳州（今淮陽縣）放糧一事，又是一副大慈大悲的菩薩心腸，救濟了多少大荒之年的貧苦百姓。因此包公祠的大殿之中，就有北宋時陳州的黎民百姓所贈的一副楹聯：

理冤獄，關節不到，自是閻羅氣象；
賑災黎，慈奄無量，依然菩薩心腸。

包公祠的左側有一六角亭，亭內有古井一口，這便是「廉泉」了。此井之水，清澈如鏡。亭壁嵌有石碑一方，上刻〈香花墩井亭記〉。說昔日有個太守來此遊覽，喝下這井裡水之後，頭痛不止。原來這個太守是個貪官，才得到這樣的報應。故而起名「廉泉」。意思是說，贓官飲此水定會頭痛，而清官喝這水則頭腦更加清醒。〈香花墩井亭記〉記下的雖只是一段民間的傳說，但「廉泉」畢竟成爲合肥市一道亮麗的風景，寄託著人們對包公這種清官的愛戴和對贓官的憎惡。

可是，這一切的一切，已經面目全非。包河公園在破「四舊」的浪潮中已改爲「人民公園」，包公祠門楣上原有的「包孝肅公祠」五個磚雕大字，也不見蹤影。祠堂裡所有的匾額、楹聯、碑刻，連同建築物上的彩繪紋飾，全一掃而光。

包公的塑像原是檀香木雕的，輕易砸不爛，有人竟用菜刀將它一塊塊劈爛、剁碎，拋到了陰溝裡去。石碑上那幅巨大的線刻的包公像，也被砸成碎石，最後用水泥鑲進了水閘的閘基裡。

包公祠的照壁牆、山門、廉亭、美人靠等建築物，不用說，早已作爲「封、資、修」，被徹底摧毀；連「貪官飲了會頭痛」的廉泉井，也被湮塞如平地。

滿河的蓮藕，蕩然無存！

包公祠牆上原有好多石碑，破「四舊」並沒破光，當包公祠被改作飯店，飯店的工人居然把它取下來，墊在了廚房門口的一堆煤炭的底下。程如峰那次發現後，嗟歎不已，他小心地鏟去一鍬煤，石板上清晰地露出碑文來。他再三懇請在場的工人「手下留情」，希望在這堆煤炭燒完之後，把碑石翻個身，讓刻有碑文的這一面朝下，以免在鏟煤時，鐵鏟把字磨損。誰知，隔了幾天，當他再去看時，飯店生意不好，已經停灶關門，那塊墊煤用的碑石也就下落不明。

包河公園和包公祠，在戰爭年代尚能倖存下來，卻在和平時期被毀之殆盡，這在程如峰的心上投下了濃重的陰影。

最後，程如峰說出了他此次前來的目的，說自己參加了包公墓的發掘工作，想查閱一些有關這方面的資料，希望丁寧能提供。

丁寧高興地說：「這對你倒不失爲一件好事。我這就去給你找。」說罷她就走進了密密匝匝的書架叢中，身手敏捷地取著書。不一會，她就把幾摞書放在了程如峰的面前。十

分自信地笑著說：「這都是有包公內容的，慢慢看吧。我給你找的，史料價值都很高，要不就是權威性比較強的。」

程如峰雖然知道丁寧聰慧過人，業務精通，在古籍的研究上，曾經受到過郭沫若的誇讚，卻沒想到她竟如此博學多才，竟然一下子找出這麼多的有關包公的書籍，這不能不叫他打心眼裡佩服。

程如峰首先看了看找出的史書，既有宋人編的《國史》、元人編的《宋史》，還有李燾編纂的《續資治通鑑長編》，可以說，這對了解北宋的歷史參考價值確實很高。

她給程如峰找出的地方志，便足以使得程如峰眼花繚亂。她說：「這些裡面都記載了包公在各地做官時的遺物、遺跡和掌故，可能對你會有些幫助。」她推薦給程如峰的志書就有：《廬州府志》、《肇慶府志》、《河南府志》、《合肥縣志》、《香花墩志》、《天長縣志》、《池州志》、《鞏縣志》、《景定建康志》。

隨意翻了翻丁寧找出的名人文集，才知道，其中不僅有文彥博的《文潞公文集》、歐陽修的《歐陽文忠公集》、司馬光的《司馬光奏議》、蘇軾的《東坡全集》，又有曾鞏的《隆平集》、劉敞的《公足集》、王禹玉的《華陽集》、周必大的《周益國文忠公全集》、宋濂的《宋學士文集》。

程如峰早就想讀的宋人筆記，丁寧非但早已通讀，那些有關包公的文字更是爛熟於心，她甚至可以隨口告之出處，這就更使得程如峰佩服不已，連聲稱讚她：「眞是活字典！」現在擺在他面前的，有關包公內容的宋人筆記就有《夢溪筆談》、《石林燕語》、《癸辛雜識》、《東軒筆錄》、《甲申雜記》、《獨醒雜志》、《續夷堅志》、《涑水記聞》、《自警編》、《卻掃篇》、《邵氏聞見錄》、《呂氏家塾記》、《五朝名臣言行錄》。

丁寧不光找出這麼多說到包公的宋人筆記，臨了，還沒忘叮囑一句：「這些筆記，所記片言瑣事，令人警悟，但有時不夠確切，需審愼處之。」

程如峰望著這些珍貴的古籍資料，感激得不知說什麼才好。打從那一天起，他便與逍遙津附近的這個古籍部，結下了不解之緣。

他開始研究北宋的歷史。儘管過去就愛讀這一類線裝的古書，但那不過是想泛泛地了解一下中國的歷史而已。今天再讀它，他就驚喜地發現，這些「故字堆」確實是解開包公墓中許多謎團最重要的一把鑰匙。

原來，包公墓誌銘的作者吳奎，此人不僅如墓誌上所述，與包公同朝，同爲樞密副使，還曾是包公同榜進士，其名次也與包公一起排在三十名之內。他們起初同爲諫官，曾經聯手向宋仁宗彈劾過皇親國戚張堯佐，後來又一道躋身於「二府」，共同執掌國政。並且

他們的性格相似，志趣相投，是包公生前最要好的一位同僚。

《宋史》中〈吳奎傳〉一章，就記有不少有關的情況。吳奎爲包公編纂墓誌銘，應該說是歷史上的一件美談了。

包公墓誌的書寫者楊南仲，更是北宋一位了不起的大書法家，還是嘉祐年間最高學府國子監分管書學方面的負責人。那時活字印刷還沒問世，楊南仲曾組織當朝的幾位頂尖的書法家，把《詩經》、《尚書》、《春秋》等九種儒家的經典著作，分別用篆書和楷書兩種字體抄寫出來，刻在石上，作爲全國的範本，被史書稱之爲《二體石經》、《北宋石經》或《嘉祐石經》。楊南仲在這件事情上既是組織者，同時也是書寫的參加者之一。

爲搞清包公墓誌蓋上篆字的書寫者文勳，程如峰頗費了一番腦筋。最後是在蘇軾的《東坡全集》上查了個一清二楚。想不到唐宋八大家之一的蘇東坡，居然爲文勳的篆書藝術，專門寫了一篇〈文勳篆贊〉的文章。說宋代時的婦女手上常愛執一種團扇，文勳畫扇的圓圈可以一揮而就，蘇東坡親眼所見，十分驚訝。讚道：「我聽說唐代吳道子畫如來佛頭頂上的圓光，可以一筆揮就，心裡總是半信半疑，現在看到文勳畫扇，也就相信吳道子名不虛傳，世上確實有這等硬功夫。」他對文勳篆書的藝術成就推崇備至，甚至寫了這樣的讚語：「世人篆字，隸體不除，如浙人語，終老帶吳。安國用筆，意在隸前。汲篆魯

壁，周鼓泰山。」說當時人寫的篆字，總是免不了留有隸書的痕跡，好像浙江人說話，一輩子都改不掉吳語的口音；而文動寫篆字的時候，是以汲縣戰國時魏安釐王墓出土的竹書、曲阜孔子住宅裡的竹簡，以及東周的石鼓和秦代李斯的刻石爲榜樣。那時篆書還沒問世，他的篆字卻獨得衣鉢眞傳，筆鋒圓潤，韻味純正，一點不含其他書體的雜質。

如此看來，包公墓誌銘由吳奎編纂，楊南鍾書寫，墓誌蓋上的十六個篆字由文動操筆，眞可謂萃眾長於一石，使得包公墓誌石具有了無可估價的歷史價值和藝術價值，成爲我國不可多得的一件文物珍品！

程如峰還查閱到了包公墓址的重要史料。據《大明一統志》記載：包公墓在「（廬州）府城東十八里」；《廬州府志》又稱：「參政包孝肅公拯墓，在縣東十五里。」歷代的《合肥縣志》，也都有類似記載。

程如峰認爲，包公墓離城十八里還是十五里，其實都是一回事。所謂十八里，多半是從知府衙門的石獅子算起的，而十五里則是從合肥城的東門算起的。大的範圍看來是沒有問題的，大興集黃泥坎這片墓場，是《大明一統志》上有文字可查的，不僅寫有包公墓，而且說明「自子繶以下皆襯葬」。至於說當時包家爲包公準備了二十一口棺材，從合肥的七個城門同時向外出殯，那不過是民間的一個傳說罷了。只是，不知道爲什麼，包氏後裔世

世代代祭掃的那個主墓，躺在墳墓裡的已不是包公，而不經意地卻在一個偏離墓群的小墓中挖出了包公墓誌石，一下把大家都搞糊塗了。

包公的後裔爲什麼也會鬧出個不知情的荒唐事呢？

史書和方志顯然都沒有答案，翻遍了宋人筆記也尋不到一點兒蛛絲馬跡。這天，程如峰找到了包氏後裔中最年長的包公三十三代孫包義旭。

包義旭摸著自己的光腦袋，苦笑著，搖了搖頭。他同樣也說不清道不明。

「你們《包氏宗譜》上應該有詳細的墓圖呀，就一點也回憶不起來了？」程如峰盯著他問。

包義旭依然是無言地苦笑。不過，包義旭對程如峰還是很有好感的。這些日子，他每天都和老程一起乘班車趕往黃泥坎，傍晚時分又同搭一輛公交車回到城裡。他發現身旁的這位「文化人」，對自己非但不歧視，反倒很客氣；對清理包公墓也十分用心，每天都把現場的情況點滴不漏地記在隨身的一個本子上，把出土的包公墓誌視作珍寶。他覺得程如峰這個人是值得信賴的。

包義旭默思了片刻，終於開了口：「我帶你去見一個人。」

5 恩生女

這天晚上，他們在約定的地方碰上頭以後，包義旭帶路，二人向離包河公園不遠的寧國新村走去。

一路上，包義旭很興奮，話也多了起來。他給程如峰談起了一些鮮爲人知的包家內部的故事。

他說，包公因爲是突然離世，當時的宋仁宗趙禎很是悲痛。仁宗皇帝爲追念包公生前的功勳，不僅照顧他的兒孫在朝爲官，還特別敕賜了一位「奉祀生」。這個「奉祀生」，通常叫「恩生」，在包氏家族中，歷來被看作族長。既負責管理包公祠堂、包公墓園，以及有關包公的文物和文史資料，還代表包氏的後裔接待來訪的客人。因爲「恩生」是世襲的，一般只能由長房長子接任。正因爲這個人是一族之長，大家就都尊崇他，也都聽他的。過去「恩生」就住在香花墩上的包公祠旁邊，所以包家人不叫香花墩，叫它「包墩」。「包墩」

可以說是包家的一塊「聖地」，天下包氏的後裔沒有不知道「包墩」的。

他說，最後一代「恩生」，是包公的三十五世孫，叫包先海。包公的畫像，《包氏宗譜》，都保存在包先海的手裡。據說，那幅包公的畫像，是在包公生前畫的，大小和眞人差不多，白臉、長鬍鬚、頭戴烏紗帽、帽翅兒很長。因爲包公的個子不高，上朝時文武百官常常擠得他透不過氣來，宋仁宗趙禎特地賜給他一頂帽翅很長很長的烏紗帽。這辦法很管用，從此以後，再也沒誰敢擠對他了，怕碰壞了他的帽翅兒得罪了皇上。

那張眞人大小的包公畫像，從元、明、清，經過民國，一直傳到了包先海。那畫像平日是用黃綾子口袋裝著，放在一個早已磨得發亮的樟木盒子裡。每逢農曆春節，大年三十，包先海就把畫像取出來，掛在包公祠的中堂上。全族人都集中在那裡，然後，按輩分一代一代地瞻仰祖容，叩頭拜祭。過罷年，畫像就又收起來。日本鬼子來時，大家四處逃跑，包先海跑到哪裡，就把畫像、家譜背到哪裡，傳家寶是不能丟失的。解放後不久，市文化局一位幹部找到包先海，說是要把包公畫像調到北京鑑定鑑定，假如眞是世代相傳，那就是國寶了。包家一合計，猜想這恐怕是要把它獻給毛主席，又激動，又捨不得。大家認爲送上去後，八成不會再送回來了。包先海就把畫像拿到照相館，拍了一張黑白的底片，然後，印了好些張，一家發上一張，留作個紀念。誰知，有一天，包先海高興地直著

嗓子對大家說：「祖宗像在故宮博物館展覽了三個月，又被送回來了！」

包義旭說得眉飛色舞，忽然想到了什麼，歎了口氣，就再沒說話了。

走進包訓芝家，程如峰才知道，自己走進的正是包氏家族最後一代「恩生」的家。包先海沒有兒子，只有一個女兒，女兒就叫包訓芝。包先海原打算在肥東縣大包村老家的親房中間抱一個姪兒做繼子，好讓「恩生」後繼有人，誰知，解放以後包公祠由人民政府接管，「恩生」的事便從此作罷，包先海抱的兒子也就一直沒有到城裡來。一九五四年農曆八月初八那天，包先海去世，包公畫像和《包氏宗譜》就都由女兒包訓芝保管。

程如峰十分希望親眼看一看包訓芝保管的這些東西，但他怕這些東西很難逃過浩劫。所以問得格外謹慎。

提起畫像和家譜，包訓芝話沒出口，眼睛就紅了。她說，「文化大革命」剛開始，包公祠裡用檀香木雕的包公像就被合肥工業大學的紅衛兵用刀劈得粉身碎骨，兩旁原有的王朝、馬漢、張龍、趙虎的雕像，統統被打翻在地，連石刻的包公像也被砸毀。後來，合肥教院的紅衛兵知道她就是世代守候包公祠的「恩生」之後，大字報一直貼進了她的家。那幾天，她怕極了，就主動把包公畫像和《包氏宗譜》交給了街道上的居委會。再後來，畫像和家譜就全被紅衛兵搜出來一把火燒了。包公的畫像畫在宋代的麻鮮紙上，不大起火，

尤其是陳年的畫軸，根本燒不動。紅衛兵乾脆就把它掛在一棵老槐樹的枝椏上，澆了煤油燒，燒得狼煙四起。同時被燒了的，還有當年包公的一張任命狀，和收藏至今的包公生前穿過的一雙長筒朝靴。

包訓芝回憶說，當年包遵年見這場面氣不過，搶過掃把要去打學生，結果被學生揪將起來遊鬥，還被剪成了「賴梨頭」。

程如峰注意到，包訓芝講這段往事的時候，雖然流露出一絲難過和惋惜的情緒，但並沒有明顯的不滿，甚至很平靜。這畢竟還是在一九七三年，令人生畏的階級鬥爭，還在「年年講，月月講，天天講」。包訓芝豈敢在一個陌生人面前口出怨言。

但是，包訓芝的家到底是世襲「恩生」，長期處在包氏家族的中心點和制高點上，因此，毫無疑問，她知道的內情，要遠比包義旭豐富得多，全面得多，也翔實得多。當程如峰問到包家是否藏有包公墓圖的可能時，她想了想說：「沒有單純的墓圖，家譜上畫有墓圖，家譜雖然被燒了，但那本家譜我看到過，大興集那是包公墓不會錯。那兒除原先就有的十幾座老墳外，後來包家的任何人就不准再葬在那兒。」

程如峰追問道：「肥東縣的包村，是包公的出生地，那兒還會藏有家譜嗎？」

包訓芝搖著頭，說：「不會有了，不可能有了，收藏的譜早進造紙廠了。」

程如峰十分懊惱地感慨道：「不管怎樣看待包公，包公他畢竟是歷史上極有影響的一個人物，有些重要的東西總該保留一點吧。我們不能不要中國的歷史，一概否認老祖宗！」

這話說得包訓芝很感動，一邊忙著爲客人沏茶，一邊回憶道：「六安縣東南九十里的雙河公社，有個叫包訓才的炊事員。他在合肥做臨時工時，舉目無親，就把『恩生』當作至親，常往我們家跑。我曾問過他，雙河包家還有沒有家譜，他說有。但說這話已有不少年了，『文化大革命』以後就沒有來往過，那譜也不知在不在了。」

包義旭接過話，說道：「這人我也見過，可以寫封信過去問一問。」

包訓芝說：「我就不信譜都給毀盡了。」

跟包義旭出來這一趟，程如峰感到收穫不小；特別是認識了包訓芝這位最後一代「恩生」之後，他朦朦朧朧地預感到，這譜是不大可能被一掃而光的。只要能夠看到《包氏宗譜》，認認眞眞地研究它，透過它的字裡行間，黃泥坎發掘現場「發掘」出來的那些怪事，可能就會捋出個頭緒。

果然，沒有幾天，包義旭就悄悄告訴程如峰，六安方面來信了，雙河包家的譜還在。程如峰喜出望外。他沒想到消息來得這麼快，這麼令人興奮。好在六安離合肥並不遠，那時的公路雖沒今天的好，但乘汽車去也只要兩個多小時。

程如峰說給吳興漢聽，吳興漢自然高興，就安排程如峰和包義旭去一趟六安縣雙河。程、包二人先乘長途客車到六安，在六安又找了輛順路的卡車。這是一輛蒙著帆布的「大篷車」，由於上面被遮攔著，後邊是敞開著的，因而車子在那些土路上軋過，揚起的滾滾塵土，差不多就全從無遮無攔的車尾倒灌進來，以致車篷裡風塵迷漫。程如峰和包義旭走下車時，兩人不覺都笑了起來：身上的衣服全變了顏色，臉上也罩滿了塵土，頭髮居然全豎了起來，樣子古怪得差點認不出來了。說是「風塵僕僕」是再貼切不過的了。

這樣的「大篷車」一天一班就是那個點，只要事先打了招呼，到站接人是十分方便的。所以，當包義旭還在撲打一身灰塵的時候，早已等候在邊上的包訓才就親熱地喊著：「老太。」

包義旭比包訓才高出三輩，包訓才喊「老太」是自然的，只是他發現來的並不是「老太」一個人，身邊還多了程如峰這麼個陌生人。爲小心起見，就低聲同「老太」商議，爲不至引起藏譜人的疑慮，也免得生出什麼是非，他希望「陌生人」住在集鎮上，他爲「老太」帶路，先去藏譜人家看個究竟，然後再行決定。

包義旭就讓程如峰當晚先在鎮上住下，等他的回話。

見包訓才和包義旭如此謹慎，程如峰的心裡有說不出來的滋味。他想：國有史、方有

志、家有譜。儘管這種家譜產生於宗法社會，發展於封建社會，不可避免地會帶有一些重男輕女、重農輕商，以及三從四德的封建專制思想，但它畢竟是一個家庭的生命史，一個家庭的百科全書，對於我們進行人口學、民族學、經濟學、教育學、倫理學、歷史學等等學科的研究，都有著不可忽略的文獻價值。毛澤東過去搞農民調查，就使用過很多家譜，他早在一九五八年就說過：「收集家譜、族譜，加以研究，可以知道人類社會發展的規律，也可爲人文地理、聚落地理提供寶貴的資料。」可見他老人家對家譜族譜資料的重要性是給予充分肯定的。但是現在，由他發動的一場「文化大革命」，一切都被顛倒了，「橫掃一切牛鬼蛇神」，這就把中國人歷史上傳承下來的一切美好的東西統統棄之如帚，無休無止的運動，更使得人人變得謹小愼微，老實人也懂得了「狡兔三窟」的重要。

程如峰是有備而來的。他沒有把事情看得過於簡單，來前特地從合肥市文化局開了一張介紹信，目的就是要證明一下自己的身分，至少說明是因公出差。防止萬一被人發現說他們這是在搞封建宗族活動，或是企圖恢復「四舊」。

程如峰同包義旭分手後就留了下來，他找到雙河公社，出示了介紹信，公社將他安排進了鎮上的招待所。招待所裡冷冷清清，很久沒有人住了，房間裡桌子上的灰塵落了一層，集上也大都關門閉戶了，據說只有趕上逢集，小街上才會有點熱氣。

程如峰在寂靜得可以聽到自己耳鳴的招待所裡躺了一宿。

第二天上午，他起得很早，把小鎮流覽了一遍，隨便吃了點東西，就回所等候，心裡直犯嘀咕，生怕有個意外。

正這麼焦慮著，就見包義旭和包訓才樂顛顛地走進招待所，說：「譜還在呢。趁現在大家都下田了，村裡沒人，我們這就走。」

程如峰一聽，不虛此行，也樂得把手一拍。

於是三人出了集鎮，沿著彎彎曲曲高高低低的田埂小路，邊走邊說，說到譜是怎麼保存下來的，都開心地笑了。

原來，這譜是放在專用的漆木盒子裡。那漆木盒子很有些年代了，又經過了無數人的手，原本黑漆漆的木盒子已變得白亮亮地照人。「文化大革命」的風暴席捲到雙河時，譜的主人惟恐毀在自己手裡，急得幾天不敢出門。半夜爬起來，跪在地上向譜兒磕了三個響頭，說聲：「老祖宗，對不起你老人家了，就暫時委屈委屈吧。」然後，砸碎了祖祖輩輩好不容易傳下來的漆木盒子，將譜塞進一個裝化肥的塑膠袋子裡，藏入床肚底下。因爲他平日就守口如瓶，除包家少數人知道譜兒藏在他家，村裡大都不知情。再加上他家往上數三輩兒都是「貧下中農」，掃「四舊」的進門轉了一下，見他家徒四壁，料定不會有個啥值

錢的東西，沒再翻箱倒櫃，譜就這樣保存下來了。

程如峰笑著問：「譜現在還躺在床肚底下？」

包訓才說：「那是風聲緊的時候，現在哪能還丟在床肚底下。」

程如峰跟著包義旭、包訓才走了大約五六里路，來到了一個不大的村莊。一個被太陽曝晒得很難看出具體年齡的村婦，站在村頭張望。顯然，她從年齡上已認出了包義旭，老遠就喚起「老太」。

在她的指引下，三人走進了她的家。

家裡窮得確實要啥沒啥，但熱情的村婦卻早已把茶泡好了。她在招待三人用茶的同時，輕手快腳地從裡屋捧出十幾本譜兒來。

這是線裝豎排用繁體漢字印製出來的家譜。由於年代久遠，紙早已發黃變軟。也正因爲它的「古色」，這譜才越發顯得金貴。

程如峰極力掩飾內心的激動，把十幾本譜書快速地查找了一遍，不覺皺起了眉頭。這其中居然沒有最想看到的內容。「不全吧，」他問主人，「好像還應該有幾本吧？」

村婦想了想，不好意思地解釋說，他男人非常愛惜這譜，每年逢到黃梅季節，他都會把譜翻出來，悄悄地在自家院子乾燥的地方吹一吹風。有一年冬天，他隨隊外出興修水

利，一去就是一兩個月，孩子們不知怎麼把譜從床肚底下翻拾出來，用譜紙捲了香煙，撕掉了好幾本。

程如峰聽了，心疼得差點喊出聲。這時，他還注意到，有許多本譜書的正中間，都出現有碗口大一塊褐黃色的霉斑，就問村婦：「這是怎麼回事？」

村婦笑著說：「那是我拿它蓋醃菜罐口搞的。」

程如峰歎了一口氣，再沒說什麼。顯然，這是白跑了一趟。

回到合肥，程如峰把六安雙河的情況一說，包訓芝卻仍有信心地說：「不要緊。譜印得多，不是一部兩部；姓包的也多，東方不亮西方亮。」

她告訴程如峰：「舒城縣的包家窪，岳西縣的包家河，都有不少姓包的，大家都有譜，都可以去看看，不見得就會被搞光。」

程如峰想想也是。秦始皇焚書坑儒搞得那麼厲害，不是照樣還有「夜半橋頭呼孺子，人間猶有未燒書」嘛！

6 包氏家譜

提到舒城縣包家窪，包訓芝就想起發生在他父親包先海身上的一段佳話。

那是一九三八年，日本鬼子佔領了合肥，全城老百姓扶老攜幼，四下逃生。包先海走得匆忙，哈嘛啷噹的全部家什都丟下了，卻沒忘記把包公畫像和《包氏宗譜》包裹好，隨身帶走。經過日夜兼程地奔波，這天傍晚時分，來到的正是舒城縣包家窪。

包先海事先根本不知道，村子裡會住有包氏後裔。他只是無意間發現，有處磚牆瓦房的人家十分醒目，漆黑的大門上，貼著一副鮮紅的對聯：「廬陽世澤，肥水家戶。」

包先海一看，心中一熱。他高興地對同伴們說道：

「這是我們包家，進去討杯水喝喝吧。」

同伴們奇怪地問：

「你怎麼知道人家姓包？」

包先海有把握地說：「不會錯。」

同伴們跑反跑得驚驚咋咋的，怕出家在外，人生地不熟，情況不明，冒昧行事不定會惹出什麼麻煩，就說：「問清楚了再進去不遲。」

包先海雖識字不多，但黑漆大門上紅彤彤的八個大字還是認識的，於是說：「明擺著，提到『廬陽』自然是合肥，合肥歷史上稱得上『世澤』的，不是包公能是誰？『肥水家戶』就更一目了然。」

說著，直衝大門而去，走到近前，毫不猶豫地抬手敲門。

不一會，裡面的一個中年男人應聲開門，見是陌生之人，便問：「你們找誰？」同伴們沒容包先海回話，趕忙問對方「貴姓」。中年男子說「姓包」。又問他們從哪裡來。

同伴們愣了一下，這時包先海忙上前答話：「我們是包墩來的。」

「包墩？」對方顯然聽說過，但說話的聲音還是顯得小心翼翼：「你們找誰？」

包先海信口答道：「找你的家長。」

中年男子一臉狐疑地望望包先海，又看看隨行者，說了聲：「你等等。」就進去喊他父親。

包先海見這情景，不免暗忖：若不把包公畫像取出來，恐怕喝口水也要費唇舌。眼下

兵荒馬亂的，逃難要飯的川流不息，姓包的多著呢，接待得起嗎？

誰知很快就打後屋走出一位老人，老遠就大聲地笑問：「哪位是包墩的？」

包先海迎上去說：「我們都是，爲保老祖宗，不得不到處跑反啊。」

說著，便取出隨身的包公畫像。老人見到包公畫像，眼睛一亮，情不自禁喊了一聲「好」。只見他急退三步，畢恭畢敬地行了個大禮。稍停片刻，這才顧得包先海一行，請他們進屋去。

在堂屋，老人小心翼翼地把包公畫像掛在正中的牆上，招呼家人燒香點燭，拱手摘帽，向包公畫像納頭便拜。邊拜，邊驚喜有加地念叨：「眞的是老祖宗來了！」

村裡人知道了也全跑來磕頭。包先海這才知道，包家窪原來全是包姓人家，而且全是包公後裔，他們也藏有包氏家譜，可就是沒有見過老祖宗的尊容。

包先海一行頓時成了包家窪的貴客。從此，合肥的包墩與舒城的包家窪，便一直有著親密的聯繫。

包訓芝很有把握地對程如峰說：「『文化大革命』前，省人事局一個叫包璋的幹部，就是舒城包家窪人，他過去常到我們家來。『文化大革命』幹部下放，據說他調回舒城，在一個『三線』兵工廠當書記。你們先去找到他，他肯定會幫忙，他在包家窪很有威信，沒

有人不聽他的。」

程如峰一直認眞在聽，覺得這位「恩生」之後裝有一肚子的故事。他忙追問：「你說的這個廠，在舒城什麼地方？」

包訓芝回憶說：「在舒城縣河棚區吧。」

「具體叫什麼廠？」

「好像就叫『先鋒』廠。」

程如峰第二天就和包義旭起了個大早，乘汽車直奔河棚而去。車子出了舒城不久，便鑽進了山區。一路上，程如峰直擔心這趟會不會又是白跑。臨近中午，能夠把人五臟六腑都顚翻的長途客車，才在河棚穩穩停了下來。

他們下了車，一路問過去，想不到，十分容易地就找到了包璋書記。

包璋是個爽快人，看罷程如峰遞上的介紹信，知道了二人的來意，特別是得知包義旭是包公三十三世孫，高興地把手拍得吧吧響，連聲說道：「好，好，好；行，行，行。」

中午，爲表地主之誼，包璋盛情款待，擺出一桌子菜。在那個城裡人每月只定量供應一斤豬肉的歲月裡，這可是很高很高的規格了。

席間，包璋對包義旭格外敬重，爹爹長爹爹短的不停口，高興得喜形於色。程如峰見

此情景感慨萬分，自己雖與包家毫無瓜葛，卻也覺得包璋猶如親人。

聽包璋介紹，程如峰才知道河棚是區政府的所在地，包家窪是在下面的杜店公社，這中間還有二十多里的路程。不過看得出，河棚和包家窪兩地的包家人是經常走動的。這天同桌吃飯的就有包家窪的兩個年輕人，他們是來找包璋書記幫助解決豬飼料的。飯後，包璋就叫他們帶路，先到包家窪去找大隊長包訓甫。臨走時特別交代：「省城來的兩位同志，要好生招待。包家窪有一部譜，這事我是知道的，不要打埋伏，他們要看就給看，要帶走就讓帶走，這是任務！」

一席話，說得程如峰熱血上湧，好不感動。

謝過了包璋，程如峰和包義旭，跟著兩個年輕人走了二十多里的崎嶇小路，在包家窪十分順利地見到了包訓甫。

包家窪，這是隱在大山褶縫中的一座寧靜的小山村。雖已不是刀耕火種，但生存條件的艱苦，還是讓程如峰感到意外。更感意外的，當然還是包家窪人待客的純樸熱情和實誠。以致讓他一時犯了糊塗：自己來到的是一個不能再偏遠的小山村，是離文明更遠了，還是更近了？

當時，天氣已開始變得炎熱，山裡的各種蚊蟲很多，包訓甫把有蚊帳的床鋪讓出來，

給客人，寧肯自己去忍受叮咬。程如峰和包義旭都要求按當時出差的標準付糧票和伙食費，包訓甫死活不肯收。程如峰過意不去，只得說：「那就算是給孩子買點餅乾吃吧。」那時買餅乾是要糧票的，城裡人才有糧票，包家窪的孩子不可能會吃到餅乾，這對他們是不敢想像的奢侈品。顯然是程如峰的這句話起了作用，只見包訓甫的愛人感激得雙手直抖，羞澀地收下了錢和糧票。

這可是「深入批修整風」的宣傳調門居高不下的一九七三年夏天，外邊運動開展得轟轟烈烈，但大山深處的包家窪，卻過著另外一種生活。村民們安詳而平和地勞作著。不時還可以聽到幾聲高亢而幽遠的山歌，全然沒有震耳欲聾的高音喇叭的嘶叫，和鋪天蓋地令人心悸的「紅海洋」和大字報。儘管這裡的山牆上，也寫有幾條刺眼的標語，但它在一望無邊的大山叢中卻顯得那麼微不足道。

這使程如峰一下就聯想到了「天高皇帝遠」這句俚語，用在這裡是再恰當不過了。正因爲這樣，包訓甫才毫無顧忌地向他們說出了保護包氏家譜的眞實情況。

家譜本來是收藏在包訓甫家的，這事誰都知道，公開得已無密可保。「文化大革命」興起後，身爲大隊長的包訓甫到公社開會，最早接受發動社員破「四舊」的任務。按上邊的要求，他應該首先把自己保存的家譜拿出來交上去，或當眾燒毀，以表明與封建社會的

東西徹底決裂。但他沒有這樣做，苦思冥想了一個晚上，覺得老祖宗包拯畢竟是老百姓眞心擁戴的一個「清官」，家譜記載的也全是包公後裔一脈相承的來由，叛祖忘宗，是要遭天打五雷轟的。

包訓甫想得並不複雜，一旦決定的事又是義無反顧的。他私下與大隊書記包先德碰了個頭。包先德也有同感。兩人一合計，便下了個決心：譜必須保護，不能交出，更不能被銷毀，即便爲這挨批鬥，進「牛棚」，哪怕是蹲「監獄」，也不能吐露半點眞情！

但是，形勢又是明擺著的，譜不能再放在包訓甫的家裡了，必須立即轉移。轉到哪兒才萬無一失呢？包訓甫把腦袋都想大了，最後才突然想到了一個人。

這就是姚河公社三江大隊的包先定。

包先定爲人熱情，辦事機敏，有多年的農村工作經驗，遇事冷靜，又十分注意方式方法，這事委託給他，是最叫人放心的。再說，包先定住在姚河，姚河那邊包姓的門戶小，目標不大，不容易被人注意。即便有個意外，走漏了風聲，姚河地處邊界，也只要轉移幾條田埂，就又是另一個公社了。

包訓甫和包先德商定好了之後，趁一個夜裡把譜送了過去。

包先定接到包氏家譜以後，深感責任重大，左思右想，自己也是一個生產隊長，這職

務算不上個鳥「官」，但這身分與這事多少有些相抵觸。爲更穩妥起見，他又選定了一個更爲理想的角色：包訓根。

包訓根是一個二十來歲的小夥子，成分好，讀書不多，性格耿直，是村上有名的「杠子頭」。如果他說「生薑是樹上結的」，他是這麼認爲的，你就別指望讓他改變看法，用上九牛二虎之力也甭想。大家都熟悉了，就都對他謙讓三分。但此人心地善良，還極有正義感，路見不平，定然相助。

包先定把包訓根叫到自己家裡，話往明裡說道：「眼看就要掃『四舊』了，我這兒保存著咱包家一套完整的譜兒……」

話只說到這兒，就被包訓根打斷，他驚喜地問：「隊長，你家保存一套譜？這事以前咋沒聽你講過。」

包先定嗔怪道：「這事可以隨隨便便朝外說嗎？」

包訓根尋思著點了點頭。包先定這才接下去又說：「我考慮你爲人可靠，想聽聽你的意見。你看這譜是交上去或是把它燒掉，還是秘密地保存下去？」

包訓根脖子一梗道：「瞎扯！祖祖輩輩傳下來的家譜，怎能交出去燒掉？沒有譜曲，還不沒大沒小了，上下輩分亂了套，成什麼體統！」

「你的意思是……」

包先定屬於有著一定社會經驗和組織能力的農村基層幹部，是比較聰明的一類農民，聰明中帶有著狡黠。他話只說了一半，就神態認眞地盯著包訓根瞅。

「當然要保存！」

包訓根說得信誓旦旦。包先定一聽，心裡樂著呢，卻裝出了滿面的愁容。說道：「訓根，不行啊。我是生產隊長，誰只要把這事捅出去，譜是肯定保不住的，人倒大霉不說，家族一班人今後還不知會把我說成啥樣呢。」

包訓根聽隊長這麼一說，心直口快道：「你是幹部，我算個屁，你收藏不方便，就把譜交給我！」

包先定等的就是包訓根這句話。不過，他依然煞有介事地詰問：「眞的追查下來，你就不怕？」

包訓根豪邁地笑道：「你不朝外說，鬼知道？怕，我怕誰？它天皇老子來，我也不搭睬他。」

「眞的？」

「你咋看不起人！」

包訓根感到天大的委屈。

「好！」

包先定佯裝終於下了決心，往包訓根的前胸猛地擂了一拳，說道：「訓根啊，難得你有這片好心。你小子要能把譜保護下來，就是給包家立了一個大功！」

說罷，便連譜帶盒子用事先洗乾淨的塑膠袋套好，鄭重地交給包訓根。包訓根望著沉甸甸的一塑膠袋的包氏家譜，突然變得十分激動。他的臉漲得通紅，脖頸上的青筋也暴突出來。他說：「大叔，你放心，只要我訓根在，譜就在！」

包先定非常高興，至此，他可以完全放心了。但他想了想，依然嚴肅地說道：

「譜在，你訓根也要在。這事一定要嚴守秘密，不能讓任何人知道，連姪媳婦都不要告訴，懂嗎？」

包訓根腦袋點得像雞啄米：「知道，知道。」

包先定又再三叮囑：「萬一有人找你麻煩，一定要沉著，別胡來，你只管頂住，有我給你開脫。」

包訓根不再說話，眼只管直勾勾地瞅著手裡的東西。包先定看出來了，話也只能說到這個份上，已經足夠了；再多交代，對方的牛脾氣說不定就要爆發了。

最後，包先定充滿感情地說道：「好，大叔不說了。大叔信不過你，這麼大的事會交給你麼？」

包先定留包訓根吃了頓晚飯。雖擺不出像樣的雞魚肉蛋，包訓根卻已經受寵若驚了。因爲包訓根有任務在身，包先定沒敢請訓根喝酒。

飯後，包訓根背著塑膠袋悄悄出了門。

包訓根開始把譜藏在家中。掃「四舊」的挨家挨戶地掃，一進門便把香爐、燭台，乒乒乓乓一齊扔到地下，砸了個稀巴爛；牆上畫的「麒麟送子」、「麻姑上壽」之類的吉祥畫，不是用鍬鏟掉，就是用爛泥糊上，然後就是上上下下地搜。包訓根不由倒抽了一口氣。眼看要掃到自己家時，包訓根情急之中，突發奇想，他裝著澆菜，挑了兩桶大糞水，晃晃悠悠地把糞桶朝家門口一放，雙手捏著條扁擔，單等掃「四舊」的人找上門來。待人一走近，還沒進門，他就直著嗓子大喊大叫起來：

「我可是八代貧農，有話說在前面，誰想在太歲頭上動土，在我家翻箱倒櫃，砸砸摜摜，有他的好果子吃！」

包訓根的倔勁遠近聞名，這種叫板兒先就把大家鎮住了；再望望門口的糞桶和他手裡的扁擔，就更怕三分。嬉皮笑臉地爲自個兒找梯子下台說：「你他媽窮得叮噹響，翻箱倒

櫃會『掃』出個金觀音、銀菩薩來嗎？」

他們故意誇張地伸頭探腦往門裡瞅，一邊說笑著就從門外走了過去。有人還討好賣乖地說：「誰敢跟你鬥？你包訓根是當然的革命造反派。」

一場虛驚總算過去，粗中有細的包訓根發現，原來掃「四舊」是只掃家裡不管屋外的。他心想：譜藏在家裡，遲早會有危險，要是哪天我外出去幹活，他們中的冒失鬼突然跑到家裡把譜搜去，再給燒了，不就後悔也來不及了麼？

這天他出了村子四處觀望，看到屋後的樹林子裡有一座自家的大草堆，那稻草秸被盤得就甭說有多嚴實了。他不覺心中一動。「要是把譜兒藏在草堆裡，日曬不著，雨淋不著，還神不知鬼不覺，等於進了保險箱。」

包訓根趁一個月黑天把譜從家裡轉移到屋後的大草堆中。就這樣，一部十四本的《包氏宗譜》被完完整整地保存了下來。直到程如峰和包義旭的到來，譜還完好地藏在包訓根處。而且這事除了生產隊長包先定外，誰也不知道。

程如峰拿到這部十分完好的《包氏宗譜》時，興奮得心裡直發顫。這是他平生第一次看到如此齊全的譜書。它續修於民國七年，即一九一八年，僅僅是譜誥、舊序、繪像、藝

文、實錄、譜論、凡例、家規、家私，以及淵源世紀等等內容，就用去了兩卷的篇幅。

程如峰最想知道的「墓圖」及「碑記」，更是赫然載於其中，這太叫他感到驚喜了！看了《包氏宗譜》，程如峰才知道，原來包姓的始祖是公元前五世紀春秋後期楚國大夫申包胥，其後的子孫便「以字為姓」，由此姓包。到了包公包拯，已是申包胥的三十四代孫。《包氏宗譜》上的許多事情都記載得十分詳細，包姓始祖的第五十四代孫包相是在明代的弘治年間，即一四八八年至一五〇五年期間，由合肥遷往舒城的山區，成為今天包家窪包氏宗族的一世祖。

程如峰暗下判斷：這部於民國七年續修的《包氏宗譜》，實際只應該稱其為《包氏支譜》。不過，他又認為，雖為「支譜」，但卻因其記載內容的翔實，還是很容易地可以窺視出包氏淵源清晰的脈絡的。

程如峰在這部難得的《包氏宗譜》上，發現了有關包公墓的三條非常寶貴的資料。譜中有一幅包公墓園圖，圖上繪出了包公墓周邊的地形，這大概就是風水先生所說的「龍脈」。墓前，除有一座香爐、一張供桌而外，還有一對石人和一對石羊。這些擺設，在今天的清理現場都已不存在。據住在黃泥坎的一位老農說，在他的印象中，解放大軍進城之前，包公墓的周圍就沒有了東西。可見從續修《包氏宗譜》的一九一八年，到解放大軍進

城的一九四九年，在這三十多年中，包公墓園一帶的地表發生了很大的變化，這多半與日寇佔領合肥八年有直接關係。

譜中還有一篇林至寫的〈重修孝肅包公墓記〉的文章，記述了南宋慶元五年，即一一九九年，包公誕生二百週年的時候，淮西路官員見包公墓被嚴重破壞，慘不忍睹，遂撥公款進行了一次重修。修復後的包公墓，「祭享有堂，墓道有門」，「植藝松檜，立表樹阡」，規模還挺大，「繚以周牆，方一百五十步。」

這篇〈重修孝肅包公墓記〉，使得程如峰的思維頓時活躍。有一道耀眼的亮光劃過腦際，一下子把他紛繁的思緒照得徹亮。

他想：既然包公墓早在南宋慶元五年之前，就曾經遭到過嚴重的破壞，破壞到了「慘不忍睹」的程度，那麼，今天清理出的包公墓誌石碎成五塊，且中有鑿孔，包公夫人董氏的墓誌石也裂成七塊，就都不奇怪了。

不過，他又想：既然包公墓曾經遭到如此的破壞，那麼，是否在南宋慶元五年重修之時，就已經把眞正的包公墓給搞錯了呢？否則，我們今天怎麼可能會在位置卑下、埋葬草率的一座小墓之中，清理出了包公和董氏二人的墓誌銘呢。

總之，讀到這篇文章後，有一點程如峰已經堅信，這就是，被吳興漢編爲「一號墓」

的那座小墓，顯然不會是包公夫婦二人的原葬墓，而只應該是遭到了一場變故之後的遷葬墓！

他甚至可以確認，被包氏後裔世世代代年年歲歲祭掃的主墓，就是包公夫婦二人的原葬墓。

程如峰開始變得興奮起來。因爲，意識到這一點，困惑著清理發掘小組的那許多異常的情況，也就煙消冰釋了。比如，一棺兩銘的問題，不僅變得清晰起來，而且，反過來又成了支持這種結論的強有力的證據。正因爲它不是包公的原葬墓，也不是董氏的原葬墓，所以才會出現有兩合墓誌石，卻只發現一個人的遺骨；同樣，董氏的墓誌蓋才會少了一角，而在那座小墓中也無法找到。

▲董氏墓（世傳包公墓）地宮本來完整，「文革」被造反派打開，現尚有殘跡。

由於〈重修孝肅包公墓記〉的出現，程如峰有了一個大的疑問：歷史上的那次對包公墓的大破壞，會是誰幹的？

墓圖上的各種擺設遭到破壞，這到底還只是地面上的破壞，無論毀於戰爭，還是來自人爲的盜

竊，可以肯定它都不是有針對性的惡意破壞，而掘墳砸碎墓誌銘，這就十分卑鄙，而且是懷著明顯的敵意，是一種惡性的事件了。

但蹊蹺的是，如此重大的惡性破壞事件，爲什麼《包氏宗譜》上竟沒透露出一點兒信息呢？這顯然是不正常的。

程如峰在這部譜中還閱讀到了祭掃包公墓的包公子孫及客人留下的兩首律詩：

其一：峨然大塚矗平洋，翹首豐碑立夕陽；
杯酒那能酬白骨，寸心差可告黃垠。
生惟鐵石驚權貴，死有忠魂報帝王；
瞻仰不禁頻下淚，寒煙衰草墓門荒。

其二：松楸寂寞墓門寒，石馬秋風夕照殘；
薦京時陳新俎豆，威儀想見舊衣冠。
子孫思儉魂應妥，碑碣銘勳字不刊；
千載英靈一抔土，拜瞻欲去轉盤桓。

兩首詩的內容是十分豐富的，但程如峰讀起來總感到一種孤寂和悲涼。譜上沒有註出這兩首律詩的作者，以及它的寫作時間。但是，兩首都不約而同地提到了「墓門荒」或「墓門寒」，同時使用了「夕照」或「夕陽」的類似字眼，讓人感到淒冷與沉重。

程如峰相信，歷朝歷代肯定會有許多的文人墨客，留下過吟誦包拯的詩詞，爲什麼《包氏宗譜》的重修者，卻只對以上兩首律詩情有獨鍾呢，這是在傳達一種信息嗎？

一般說來，清官總是出在國家問題成堆、積重難返之際。往往是一國之君長時期昏庸，弄得腐敗合法化、瀆職正常化、賄賂公開化，到了國將不國的危難時期，一些不肯同流合污的清官，才會凸顯出來。

當程如峰深切地感觸到《包氏宗譜》重修者深藏在詩中的不滿與悲憤，他的心，就不由感到一陣絞痛。

是呀，包公的故事是早已以一種不斷擴增的態勢在民間到處流傳，從最初的主東嶽速報司的傳說，到元雜劇中的二十多種故事，再到現代《包龍圖公案》中的一百個故事，包公的故事越傳越多，越傳越奇。以致發生在別人身上的事，也移植到了他身上，未曾發生過的事也全請他出來當主角。可以說，它早就已構成了一個無與倫比的龐大的故事系列。而這眾多的故事，無不透露出人民大眾的心態與期冀。正如馬克思在《路易·波拿巴的霧

月十八日》一文中所指出的那樣：為了表達對現實的不滿和要求改變現實的願望，便只能「請出亡靈來給他們以幫助，借用它的名字、戰鬥口號和衣服，以便穿著這種久受崇敬的衣服，用這種借來的語言，演出世界歷史的新場面」。在統治者與黎民百姓的對立態勢中，包公的亡靈實際上已經擔當了表達民意的角色。因此，歷朝歷代的統治者，對包公這一人物都很難有明確的讚賞態度，包公墓園「寒煙衰草墓門荒」、「松楸寂寞墓門寒」，自然就在所難免，「千載英靈一抔土」、「瞻仰不禁頻下淚」的情景，也就是可以理解的了。

可是，誰又會想到，在人民已經當家做主的今天，這位人民深深喜愛的歷史偉人，不僅在他死後的九百多年還被批了個狗血淋頭，他的墓園會僅僅因為一個工廠要建石灰窯，就被趕得無處葬身了呢！

程如峰回到合肥以後，一個完全偶然的機會，他又聽一個包氏後裔說，桐城縣一個叫包先國的人也偷藏有一部包氏家譜。那人告訴他，掃「四舊」時，包先國是將譜藏在屋後的石洞裡，藏譜的箱子裡因為包了一塊生石灰，既吸潮又防蟲，可以說是萬無一失。但他依然不放心，又把箱子秘密地懸在山洞的深處，繩子上還捆了一束老鼠刺。這樣一來，就是老鼠也啃不著譜箱。

程如峰立馬去了桐城。在包先國的幫助下，他又看到了二十四本的《包氏宗譜》。這是

屬於桐城一支的包氏支譜。桐城包家的一世祖叫包裕禎，爲包公的第十三代孫，當過玉山縣令，致仕後，由合肥前往桐城，時間大致是元代中期。由於出自同一淵源，在各支系分出之前的部分，也稱「譜頭」。各支譜基本上都是一樣的，所以在宗譜即便失傳的情況下，有了支譜，仍是可以看出總譜的基本內容。

現在，用舒城包家窪的《包氏宗譜》，去對照桐城的《包氏宗譜》，程如峰注意到，桐城譜修於清朝光緒三十年，即一九〇四年，舒城譜修於民國七年，那已經是一九一八年。可以看出，桐城譜比舒城譜又早了十五年。譜頭不但內容相同，其中的人物畫像、祠墓繪圖，舒城譜都是從這部桐城譜中翻刻而來的，一模一樣。但是，這中間，僅僅只有十五年之差，包公墓圖上繪製出的祭奠擺設，就又少了一對燭台、一對石虎和一座墓碑。這種不同的墓圖，正好反映出了歷史上的變化。

從光緒三十年，到民國七年，中國的歷史上發生了聲勢浩大的太平天國起義。從太平天國的教義看，它承認上帝，卻是把廟宇和祠堂都視作「妖」的。他們所到之處，此類建築均全部燒毀，夷爲平地。合肥地方志上就有這類記載，眾多的廟宇和祠堂就在那段時間無一倖存。

另據《宋史・禮志》規定，宋朝三品以上的高級官員，死後墓前准許設置石人兩個、

石虎兩只、石羊兩只，並且，可以享用望柱——即天安門金水橋前那樣的華表。包公生前曾任樞密副使，官至二品，當然應該具有這些石像生。桐城譜的包公墓圖，基本上反映了這種情況，只是少了一對望柱。

這對重要的望柱，又是什麼時候消失的呢？程如峰的思緒在中國歷史的長河中漂游。他想，自包公入葬的一〇六三年，到桐城包氏支譜續修的一九〇四年，八百多年間，大的改朝換代就有金兵南下，北宋滅亡；元兵南下，南宋滅亡；農民大起義，元代滅亡；滿清入關，明代滅亡等四次之多。在這諸多的社會動亂中，包公墓被破壞的可能性都是存在的。

讀著這些已經發黃變脆的陳年家譜，程如峰深切地感受到，其中記載的又何止是包氏一個家族的眞實歷史呢！巴爾扎克說過：「小說是一個民族的秘史。」不用說，比小說更眞實的包氏家譜，透過它，對我們去認識自己民族被深藏的「秘史」，其價值是不言而喻的！

程如峰對保存了這麼一份珍貴的歷史遺產的藏譜人，打心裡欽佩。

7 一個眞實的包公

程如峰兜了這一圈，重新回到大興集的黃泥坎之後，正巧，吳興漢也正準備找他搞清包公的墓誌銘。當然，也要搞清和包公同朝同爲樞密副使的吳奎，在這篇墓誌銘上都爲包公寫了些什麼，絕不是件輕鬆的事。誌石已碎成了五塊，斷裂處缺損的字根本無法再尋了。其餘沒有缺損的部分，也由於長時間地埋在地下，腐蝕十分嚴重，而且還被厚厚的一層泥土覆蓋著。要想剔除字縫中間的那些陳年泥土，又不損壞碑石上的文字，這幾乎是一件不可能做成功的事情。

再難，也要試一試！

程如峰拿出了鐵杵磨成針的那份耐心，一幹就是十二天。看似不可能的事情，終被他做成功了。

文字出來了，可以想像，全是密密麻麻的豎排繁體字，那會兒又不可能會有今天的標

點符號，使用的也都是古代漢語。這讓從事文物考古研究幾十年，特別是在古陶瓷、古代貨幣的研究上已卓有成就的吳興漢，也感到棘手。這對程如峰，就更是一個嚴峻的考驗。因爲要把那些生疏艱澀的文字正確地辨認出來，再準確地斷句，搞懂它的意思，這不光要深厚的古文功底，還要十分精通中國的歷史，尤其是要熟練地掌握北宋期間的有關政治、經濟、文化諸多方面的知識。

程如峰於是又拿出了螞蟻啃骨頭的那種勁頭，一個字一個字地刻苦鑽研，一段話一段話地認眞破譯。常常爲鬧清一個字，就得花上三五天時間，爲了弄懂一句話，他可以把所有的腦汁絞盡。就這樣，經過反覆地辨認、分析、判斷、研究、核對，一個有著五十一行的刻文，兩千二百多字的包公墓誌銘，終於被整理出來！

望著一個多月辛勞的成果，程如峰長長吁了一口氣，臉上露出了由衷的欣慰。這以後，他又拿出幾天時間，把陸陸續續整理出來的誌文，工工整整地謄清了一遍。爲現代人閱讀上的方便，他還爲誌文打上了標點符號。（包公墓誌銘全文見附錄）

由於墓誌遭到嚴重地破壞，三千多字的誌文有近三分之一的部分已無法辨認。雖說這只能是個殘篇憾文，但通讀下來，我們還是會被其中陳述的故事，深深感動。這裡，不僅有對包公一生經典的評價，還有大量生動的故事，甚至把許多故事的細節都做了繪聲繪色

的交代：天長巧斷牛舌案、端州爲民掘井取水、廬州板打阿舅、池州昭雪和尚冤案、開封府正門放告、清理惠民河河障、六彈國丈張堯佐……

可以說，這是當今人們能夠讀到的，記述包公生平政績最眞實可靠、最詳實生動而又最具權威性的一篇文章了。刻有這文章的誌石雖斷裂爲五塊，依然不妨礙它的價値連城！

從墓誌文中可以看得十分清楚，包公之所以能夠成爲人們心目中的清官典型，絕非後人杜撰，他在生前就已是有口皆碑之人。

「宋有勁正之臣，曰包公。」吳奎撰寫的這個墓誌銘，開篇就氣勢奪人，接下來說到包公在當朝和鄰國中的影響，吳奎用了兩句十分精彩的話：「其聲烈表爆天下人之耳目，雖外夷亦服其重名。朝廷士大夫達於遠方學者，皆不以其官稱，呼之爲公。」

寥寥數筆，便把一個人人敬重愛戴的清官直臣的形象活脫脫勾勒出來。

包公一開始就以孝敬老人而聞名州閭。天聖五年，即公元一〇二七年，包公二十八歲考中進士，且得進士甲科，初命大理評事，再任建昌知縣。這是他生平第一次得此大邑，一個知縣月俸十二至二十二千緡，祿粟三至五石，收入不算太低。但是包公父母均年事已高，老人家希望住在家裡，不願意跟兒子遠去，爲了照顧雙親，包公竟懇請上司辭去知縣一職。上司知情，顧念他一片孝心，就改調包公到和州，因爲和州鄰近合肥。可是，包老

大人和老夫人連和州也不樂意去，仍叫包公獨自上任，見父母心意已決，包公便毫不猶豫地辭去了官職，他「樂處鄉里，不欲遠去」，回到家裡侍候父母，直到雙親撒手西去，包公又「居喪毀瘠甚，廬墓終制」。直到了三十八歲時，才去外地任職。因此，包公比一般官員出仕晚了十年。

從政較遲，包公做官的時間相對地說也就比較短，算起來，前後只有二十七年。在這二十七年當中，包公的工作被調動得十分頻繁：先後出任過天長縣的知縣，端州、瀛州、揚州、廬州和池州等地的知州，以及江寧府和開封府兩府的知府；出使過契丹；分別供職於工部、刑部、兵部及禮部；在財政部門，他就擔任過判官、副使、轉運使，一直幹到三司使；在監察部門，他也出任過監察御史裏行、御史、知諫院、諫議大夫、御史中丞；還率領過北宋的軍隊，擎帥旗衛戍邊關；最後做到了樞密副使，成為中央政府的宰輔，並在這個職位上去世。

包公的官職，不能算高，最高不過是中央主持軍政工作的副長官，這在當朝的官僚中，遠不及富弼、韓琦、文彥博等人顯赫；論舞文弄墨的才情，顯然也不及同一個時代的歐陽修、司馬光、蘇東坡等人的出類拔萃；而且，在當時改革的潮流中，其理論和實踐的建樹，更無法與同期的范仲淹和王安石等人相提並論。可是，就是這位看上去並不特別顯

赫的封建官員，卻能夠在同時代的歷史人物中脫穎而出，成了對中國歷史文化的發展和社會的進步最有影響的一位人物。這其中的奧妙，在吳奎為我們提供的包公墓誌銘中，便可窺知一二。

孝親不為揚名，忠君不為顯才，心中意中「無他」，這便是包公為官處世最基本的態度，也是他能成就為千古英才的根本所在。

無欲，並不是不想有所作為，只是不熱中於功名利祿，淡泊於個人得失。

想想看，包公為奉養雙親十年亡宦，這是一種多麼從容安詳的人生態度，同「雖下流庸較，猶數日月以望貴仕」之輩，是何等鮮明的對照啊。包公做官雖越做越大，但他處處卻是「確然素守」，時時「期以勉循」。在端州任職時，端硯天下聞名，但他「歲滿不持一硯歸」，近水樓台不取月，其清正之名，在當時就家喻戶曉。他做官做得相當大時，仍十分地節儉，生活「一如布衣時」。即便回到家鄉當官，「親舊乘勢擾官府」，包公依然不徇私情，立命正法，「自此親族皆屏息」。後來到了「素號難治」的東京汴梁做開封府知府時，其執法如山的浩然正氣，更是朝野一片讚賞聲。開封舊制，告狀的人不得直接進入大堂，狀紙要由知牌司收轉，收轉之中敲詐勒索便常常發生。包公破了這個規矩，他命令打開開封府的正門，凡告狀者可以直至庭下自道曲直，以致「吏不敢欺」。

學有遠識，心無私欲，確實是包公區別於絕大多數封建官吏的最重要的地方。程如峰查閱過與包公同時代的許多名士大家對他的評價，足見吳奎撰寫的墓誌銘，並非出於他和包公曾經是同榜進士、後又同爲樞密副使的摯友之情。

朱熹就稱包公「復爲京尹，令行禁止，立朝剛毅」。

歐陽修稱他「清節美行，著自貧賤，讜言正論，聞於朝廷」。

劉敞稱他「識清氣勁，直而不撓；凜乎有歲寒之操」。

奉敕編集歷史巨著《資治通鑑》的司馬光也稱讚他：「仁宋時，包拯最名公直。」

翻開《宋史》，有關包拯的文字，更是閃爍其間：「公性峭直，惡吏苛刻，務敦厚，雖甚嫉惡，而未嘗不推以忠恕也。與人不茍合，不爲辭色悅人，平居無私書，故人、親黨皆絕之。雖貴，衣服、器用、飲食如布衣時。」

包公從政時，上距太祖開國已有七八十年，建國時期的那種勃勃生機，勵精圖治的風氣，正在逐漸消失。官員冗濫，吏風頹敗，土地集中，賦稅繁重，民不堪命；再加上法令鬆弛，特權猖獗，政權已經面臨巨大的危機。而文武官員又大多置國家利益於不顧，只顧貪圖物資利益和精神生活的享受。已經是民不聊生了，政府仍然「恩施於百官者惟恐不足，財取於萬民者不留有餘」。特別是吏風每況愈下，「一人得道，雞犬升天」之風盛行，

一些紈絝子弟紛紛成爲官員，把一個好端端的大宋王朝弄得風雨飄搖。

包公爲官甚久，走遍了山南海北，既看到了皇親國戚、權臣將帥的貪殘害政、胡作非爲，又看到了北宋廣大底層百姓在水深火熱之中掙扎、觸目驚心的社會現狀，激發了這位忠義之士一腔濟世匡危的熱血。在他看來，歷史是無情的，如果忘記了史書的告誡，忘記了前車之鑑，一味驕奢淫逸，魚肉百姓，到頭來定會給後人留下千古罵名。於是，他喊出了「能盡心敢救天下之弊，敢當天下之責者」的誓言，上書仁宗皇帝，迫切地提出：「民者，國之本也。財用所出，安危所繫，當務安之爲急」，他力諫仁宗「少留聖意，大緩吾民，以安天下」，讓人民休養生息。

當時的北宋，曾根據財產的多少將民戶分成五等，正像我們過去在農村劃分的地主、富農、中農、下中農和貧雇農。第四、第五等是最困難的，包公在奏議中多次爲他們爭取權益，可以說傾注了一片愛心。他最有名的主張，就是「薄賦斂，寬力役，保民田，救荒饉」。用今天的話說，就是減輕人民負擔，幫助人民群眾戰勝各種災害，過上好日子。他在〈論恩赦不及下〉的奏議中提出：「果爲國，豈不以愛民爲心哉！」翻成白話文，就是說，一個眞正的愛國者，怎能不熱愛自己的人民呢？他大聲疾呼：革除弊政，澄清吏風，任用賢良，罷黜庸邪，並力所能及地利用手中的權力，禁止以官經商，解除民眾疾苦，嚴劾貪

官酷吏，支持「慶曆新政」。他對當時眾多官員的追名逐利，感到可恥。他在奏議中寫道：「廉者，民之表也；貪者，民之賊也。」他立下誓言，要做一個清心寡欲、直道謀身、剛正不阿，像唐朝魏徵那樣的「忠直無隱之臣」。

讀著吳奎撰寫的墓誌銘，我們熱血賁張，不能不為包公的勇氣、膽識所折服。包公前後奏議共十五卷，計一百八十七篇。在這一百八十七篇奏議中，包公指名道姓地點到了六十一名本朝官員。其中，被他上疏揭露的荒淫奢侈的貪官有王煥、閻士良、魏兼、張可久、崔端、張方平、趙承俊、周景、胡可觀等九人；蠹政害民的惡官有范宗傑、楊懷敏、任弁、石待舉、郭承佑、曹琰、王逵等七人；無恥求進的庸官有李綬、馬絳、呂昌齡、許懷德、魏及甫、唐叔夏、何澄、葉仲館、董之邵、李昭亮、丁度、張堯佐、張若谷等十三人；才不堪任的昏官有劉緯、潘師旦、令狐挺、張士安、席平、劉兼濟、蔣堂、李昭述、韓松、宋祁、宋琪、郭志高、馬諸、范質、李昉、張齊賢、宋庠、晏殊等十八人。真是不畏權貴，一身正氣，前無古人，後無來者！

在這些奏議中，最能體現包公性格的，是他六彈張堯佐、七彈王逵。當他發現宋庠執掌國政後，竟養尊處優，不幹實事，就把彈劾的矛頭指向了這位當朝宰相，兩次向仁宗上奏，請求罷免宋庠。

包公一炮接一炮地糾彈了這些氣焰囂張、炙手可熱的皇親國戚、庸相宦官、佞臣暴吏，為大宋王朝袪除了邪惡，為黎民百姓伸張了正義，朝野為之震動。一時間，朝廷竟把有沒有包公的彈劾作為評價朝臣優劣的重要標誌。

當然，包公很清楚，對權貴進行彈劾或整肅，並不是一件容易的事，他曾親眼看見不少「公清守節之人，或不曲事左右，為眾所嫉者，即被加誣，構成其罪，遂使守衛之士或負終身之玷，可不痛惜哉」，下場都很悲慘。但是，他天性憂國憂民，為了社稷和百姓，他不得不沿著這條路走下去，明知會受到打擊報復，也義無反顧。更加了不起的是，他不僅挑戰權貴，還敢直諫宋仁宗，他說自己最敬佩的君主是唐太宗，敬佩唐太宗的英明納諫，使得正直無隱的魏徵能暢所欲言，言無不聽，有了君臣的這種志同道合，才造就了歷史上著名的「貞觀之治」。為使宋仁宗能夠成為唐太宗，他除在論斥大臣中間幫助仁宗認清自己的弱點、缺點與過失外，還坦言規勸宋仁宗去克服它。

俗話說忠言逆耳，何況是對一個萬乘之尊的皇帝，你長了幾個腦袋！包公卻不管這些，他竟給仁宗提起了意見：「自陛下嗣守神器，已愈二紀」，雖然也「孜孜求治」，但效果並不好，以致「時多疵所未盡爾」，認為責任在仁宗身上。他給皇帝提意見的內容很廣泛，除一般國家大事而外，還常牽涉到皇帝個人的私事。〈七事〉的奏議就集中指責了仁

宗「不以是非」、「以朋黨爲意」、「頗主先入之說」、「多有疑下之意」、「未能委任忠賢」、「多有竄逐之臣」等等。無不體現了他說話的直率，「然言不激切，則不足開宸慮而補聖政」。只要有利於政治的改革，哪怕皇帝聽了不高興，他也要直言不諱，甚至指責仁宗「有私昵後宮之過」。

包公公開指責仁宗有「私昵後宮之過」，便是「六彈國丈張堯佐」這件事。吳奎撰寫的墓誌銘，也記下有「罷堯佐宣徽、景靈宮」，足見這事在當時產生過極其深刻的影響。

「六彈國丈張堯佐」的故事，後來流傳得很廣，可以說也是最能說明包公「鐵面無私」、「色正芒寒」的爲官形象的。後來民間的許多關於包公的傳說均來源於此。凡看過《三俠五義》的人，大都熟悉裡面的大奸賊龐太師，其實，龐太師的原型就是張堯佐。

張堯佐是宋仁宗的岳丈，他的養女張氏八歲進宮，原是服侍楊太后的一個宮女，因爲長得俊俏，性情乖巧，善解人意，而宋仁宗又是楊太后撫養長大的，張女有機會接觸宋仁宗，並受到宋仁宗的寵愛。宋仁宗繼位之後，她就一步步地由一個普通的宮女，升爲才人、修媛、美人，最後被冊封爲貴妃。張女自知自己出身低微，爲在朝中有一個強硬的靠山，她就不斷請求宋仁宗提拔重用張堯佐。因爲宋仁宗對張女幾乎是有求必應，張堯佐很快就由開封府內一個審理案件的普通推官，提爲管理開封十八個縣、二十四個鎮的刑獄長

官；時間不長，就又先後當上了三司戶部判官、三司戶部副使、河東路轉運使、吏部流內銓、兵部郎中、權知開封府，最後竟然幹到了三司使。短短幾年，他換了一個又一個職務，別人憑才幹兢兢業業累白了頭髮也爬不到的位置，他竟不費吹灰之力。

張堯佐擔任三司使時，包公還是戶部副使，三司使是戶部副使的頂頭上司，因受地位、等級的約束，包公不得不聽他的。後來包公調到了諫院，充當了諫官，他便和同為諫官的陳旭、吳奎一道，給仁宗寫了一份奏摺，彈劾張堯佐，說普天下的人都知道張是庸碌之才，就因為他是皇上的親戚，才變成了朝廷的顯貴。張不諳國情民意，只曉得向老百姓狂徵暴斂，以顯示自己的政績。同時又慷國家之慨，濫施賞賜，藉以收買人心。造成財政困難，人民塗炭，他卻洋洋自得，不知羞恥。於是提醒皇上，如果不聽取公眾的呼聲，不但會給他本人帶來災難，更會給國家留下大患。

但是，奏摺遞上去後，如石沉大海。包公卻沒有氣餒，連著又上了兩次奏摺，繼續彈劾張堯佐。包公甚至針對宋仁宗信神敬神的心理，提醒仁宗：違背天意，得不到善報，不順應人情，政治風氣頹廢，雖然糾正也將積重難返。縱容一個張堯佐，釀成國家的危機，實在令人痛心！鍾愛私情，雖然聖人也在所難免，但總是要有一個度。明智的做法，是不要把他放在權事很重的位置。縱觀歷代后妃的親屬之中，即便有才之人，國家也不會把具

有實權的重要崗位交給依靠裙帶關係上來的人。他要求仁宗皇帝迅速把張堯佐調離三司，改授其他閒散職務。

不久，張堯佐果然被免去了三司使的職務。

包公正感歎仁宗皇帝能從諫如流呢，誰知，僅隔了幾天，宋仁宗突然降下聖旨，提拔張堯佐擔任了比三司使職務更高的宣徽南使，還同時給他加封了淮康節度使、景靈宮使和同群牧制置使的職務。一次性地給了四使的職務，這在北宋的歷史上從來沒有過。

制命一出，朝野上下輿論大譁，卻又敢怒不敢言。

包公卻拍案而起。他毅然再次上章彈劾，直言道：國家的典章制度，有明確規定，宣徽南使、節度使不是德望兼備之人，是從不輕授的，而張堯佐何德何能兼領四職呢？這樣做只能使天下人議論皇上偏愛後宮，政治風氣頹廢。他懇請宋仁宗以大局爲重，將張堯佐調出朝廷，以順天意人情。

張貴妃知道自宣佈張堯佐四使後，諫官御史們反對者眾，她怕宋仁宗頂不住壓力，會改變主意，每次上朝，都會把宋仁宗送到宮門口，細語叮嚀一番。因此宋仁宗不管包公如何反對，也只當成耳旁風。

御史中丞王舉正平日是個老好人，大事卻不糊塗，他見包公數次彈劾張堯佐，絲毫不

起作用，便也站了出來，上疏批評仁宗對張堯佐恩寵過甚。希望撤去四使的任命，調他為一郡之長。如意見不被採納，便請罷去自己御史中丞的職務。這一著，大出仁宗和執政大臣們的意料。但仁宗仍然不為所動。王舉正萬般無奈，只得行使起御史中丞的殺手鐧——廷辯。

一日，百官快要退朝時，王舉正突然招呼百官留下，他率領御史張擇行、詔介，諫官包公、陳旭、吳奎等人集體上殿，與仁宗皇帝當面諍諫。

就在那次諍諫中，包公挺身而出，置個人安危於不顧，慷慨陳詞，言語尖銳，情緒激動時，唾沫都濺到了仁宗的臉上，滿朝文武大驚失色。

仁宗哪見過這等場面，他想發怒，卻又懾於包公的一身正氣，無法招架之時，為顧全面子，只得站起來拂袖而去。

那天，張貴妃送仁宗上朝後，就不斷派小宦官前去打探消息。當得知包公冒死進諫，當面頂撞仁宗，仁宗尷尬退朝，連忙到宮門迎接。宋仁宗雖然惱怒至極，頭腦卻還清醒，他把一肚子火發到了張貴妃的身上，斥責道：「妳只曉得妳的伯父張堯佐，不知道朝中有個包拯嗎？」張貴妃眼看這事成了僵局，搞得宋仁宗進退兩難，她知道如果自己一意孤行，到最後可能會危及自己的地位。於是，只好暗中通知張堯佐主動辭去四使的職務，這

樣既可解脫宋仁宗的困境，又使仁宗皇帝落個喜聞直諫的美名，還可獲得皇帝的歡心。張堯佐就這樣體面地退讓了，這事才算有個了結。

其實包公彈劾國丈張堯佐的故事，在不少史志筆記中都有記載，說得活靈活現，卻很難讓人相信是眞的，有了吳奎的這個包公墓誌銘，不僅令人信服，包公的形象也越發使人肅然起敬。這事別說出在北宋，放在任何一個朝代，能夠具備包公這種風骨與膽識者，也確實不多。

表面上看，包公這種剛毅的性格，堅持原則有時到了不近人情的程度，很容易授人以柄。他既不願隨波逐流混日子，又不想同流合污謀升官，還要有所作爲求發展，是很難行得通的。但包公竟然走通了。這裡面其實並沒有什麼奧妙，也沒有特殊的背景，說到底，他也只不過是從合肥走出來的一個「進士」。其原因，正如世世代代人們對他的稱頌：「清官」。這「清官」二字貴在一個「清」字！清廉。清白。清正。清明。惟其愛國，儘管言詞激烈，但無二心，因而仁宗皇帝可以容忍，多數情況下還能予以採納；惟其愛民，儘管官居高位，但平易近人，因而得到民眾支持，並由衷愛戴；惟其正直，雖不與人苟同，但不偏袒，因而沒有捲入黨爭，免遭攻擊；惟其廉潔，雖有很好的條件，但不謀私，因而沒有把柄可抓，保持清白。

正因爲這樣，他在「伴君如伴虎」的專制時代，沒有被皇帝罷官；在朋黨激烈紛爭的北宋政壇，沒有被浪潮捲走；在官民隔閡的封建社會，沒有被民眾拋棄；在貪官盛行的腐敗環境，沒有被污染！

程如峰把包公墓誌研究得越深，一旦回到現實的生活中，便越發感到一種深深的悲哀。他所以能接觸到這些珍貴的東西，完全因爲合鋼二廠一個愚蠢的決定。要不是他們需要建個石灰窯，包公墓群必須搬遷，包公的墓誌銘不可能重見天日，他和他的同事們，乃至當今還在心中惦記包公的人，永遠也不可能這麼具體、這麼詳實、這麼權威性地了解到一個眞實的包拯！

包公墓的出土，極大地豐富了《宋史》和包氏家譜中所告訴我們的包公的故事，並對《宋史》和包氏家譜中出現的謬誤，作了一次無可置疑的校正。

無論《宋史》本傳、《續資治通鑑》還是《五朝名臣言行錄》，在提到宋仁宗嘉祐二年，包拯建議立太子時，都寫有「臣年七十，且無子」這句話。好像包公到了七十歲，仍膝下無子。但是，從墓誌上看，嘉祐二年包公只有五十九歲，即便按照當時人一生下來便有了一歲計算，也只應該是「臣六十，且無子」，「七十」的結論肯定是錯誤的。再說，包

拯離世時其子包綖已有五歲，包公不可能會在七十歲以後出現「老年得子」的奇跡。從另一個方面看，包拯「天聖五年進士甲科」，那時已是二十八歲，解官終養十年後才正式出仕，如按「臣七十，且無子」推算，包拯不可能三十八歲考中進士，四十八歲始才外出做官。

包公墓誌銘的出土，使史書露出了窘態，也使世代相傳的包氏家譜，顯得漏洞百出。包公祖父包士通，被譜寫成「包世忠」，這種謬誤尚可理解，至少音還比較接近，但是包綖本是包公的次子，而家譜卻當作包公之孫，包繶之子，把一代人變成了兩代人，這就使整個包家世系增加了一代。

包公家事上的錯誤，就更是隨處可見了：幾乎所有可見到的包氏家譜上，包拯之妻均寫作「李氏」。豈不說這個「李氏」毫無來由，「李氏」的生卒年月，就更是一筆糊塗帳。譜上說：「李氏生於興國壬辰年，卒於咸平庚申年」。奇怪的是，「興國」是宋太宗趙炅的第一個年號，前後只使用了九年，即從公元九七六年到九八四年，其中並無「壬辰年」。「壬辰」乃是他的第四個年號，始於淳化三年，即公元九九二年。而「咸平」又是宋眞宗趙恆的第一個年號，只用過六年，即從公元九九八年到一〇〇三年，其中也並沒有「庚申」年。「庚申」乃是他的第四個年號，始於天禧四年，即一〇〇二年。按照譜上寫出的這些

年號，我們將無法確定李氏的具體年歲。但若以甲子紀年計算，這位李氏去世時就只有二十八歲。而李氏過世後，譜上再沒有別的記載了，這就是說，當時只有三十歲的包公，便鰥居了幾十年，實在荒唐得很！

若非董氏墓誌的出土，若非九百多年後的今天清理了包公和董氏合葬墓，曾一輩子與包公朝夕相處，且同舟共濟、恩愛有加並給過包公最大幫助的賢內助——董氏，將沉冤九泉，無人知道。無論是史書還是家乘，對董氏都太欠公道；特別是包氏家譜，這樣對待董氏非但大不敬，也似乎有點兒太殘忍。

董氏和包公的兩合墓誌同時出土，透露出了一個《宋史》絕對沒有、包氏家譜也不可能會有的非常重要的事實，這就是，包公有過三個女人：既有原配夫人「張氏」，續妻「董氏」，還有「媵孫氏」！

「媵」，可以理解爲「陪送出嫁之人」，也可以解釋爲「身邊的傭人」。墓誌上刻得明明白白，包家的「香火」藉以延續的「獨根獨苗」包綖，正是包公與這位「陪送出嫁之人」或壓根就是「身邊的傭人」生下的孩子！

「媵孫氏」在包家侍奉包公多年，因爲懷上了包公的孩子，囿於她的這種身分，被包公遣回了娘家。這時包公已是五十九歲，先前由董氏生養的兒子包繶，好不容易長大成

人，和名門之後崔氏結成夫妻，想不到婚後兩年便染病身亡。包公六十大壽時，百官前來祝賀，宋仁宗也派人送來了禮物，但年屆花甲的包公，膝下無子，難免有孤獨之感，又怎麼樂得起來呢？

誰知就在這時，他的大媳婦崔氏抱出了一個活蹦亂跳、牙牙學語的孩子，告訴他：「這就是您的兒子啊！」包公不免驚詫，待問清情況，才知「媵孫氏」將孩子生了下來，還是個男孩。從不開笑臉的包公，不禁笑容滿面，一旁的董氏也喜形於色。包公當即認下了孩子，還將孩兒取名爲包綖。

墓誌就此寫得十分清楚，包公一生有過四個孩子：長子「子繶，太常寺太祝，先公卒」，過早地夭折了；兩個女兒，一個遠嫁「陝州硤石縣主簿王向」，一個許配給了「國子監主簿文效」。包氏家族繁衍至今靠的全是包公的這個次子包綖！

這麼說，包公不僅有妻有媵，唯一之子，還是包公臨近花甲之年與媵所生。

這事，發生在鐵面無私「自是閻羅氣象」的包公身上，會有損「凜凜然如不可奪之節」的清官直臣包公的形象嗎？會導致包氏後裔對自身血統產生懷疑，甚而認爲大逆不道，有辱門風嗎？其實，在那個年代，將陪嫁人納爲妾室應該是很正常的事情。

8 包夫人的一大失誤

董氏墓誌銘被整理出來後，不僅讓人們知道了包公生前那許多不入史志和家乘的故事，以下的一段文字，也引起了程如峰的注意：

初，孝肅薨，有素醜公之正者，甘辭致唁，因丐爲之誌，夫人謝曰：「已諉吳奎矣。」既而喟家人云：「彼之文不足，罔公而惑後世，不如卻之之愈也！」

從這段話可以看出，包拯去世後，董氏並沒想到非要請吳奎爲包拯寫墓誌，只是有人主動向她要求撰寫墓誌時，因這個人過去曾經公開批評過包拯，她才拿吳奎做擋箭牌，謊稱吳奎已爲包拯寫了墓誌。以致後來眞的成爲現實，被發掘出來的包公墓誌銘確實是由吳

奎所寫。

是誰在包拯生前公開批評過包拯，又在包拯死後不久主動提出要爲其撰寫墓誌銘呢？

程如峰對歷史上撰寫過墓誌的大體情況作了一番探究之後，他發現，封建社會的等級制度是十分森嚴的，像墓誌銘這種蓋棺定論的大事，更有著嚴格的要求。墓誌的撰寫者，都要比死者的社會地位高，至少，也應與其旗鼓相當。這是物色人選時的一種約定俗成的規定，或是一種時尚。好像只有這樣，對死者的評價才具權威性，更能提高死者的威望，給死者以安慰，給生者以激勵。

撰寫者還必須要有相當的寫作水平和撰寫墓誌的特長與熱情，再就是對死者要有不一般的了解，敢於對他做出「蓋棺定論」。

除具有以上幾個特點外，要鬧清曾主動提出要爲包公撰寫墓誌銘的人，首先應是「有素醜公之正者」，讓董氏擔心「彼之文不足，罔公而惑後世」者。

也就是說，此人曾經與包公有過矛盾，可能會在爲他寫墓誌時不懷好意，以詆毀包公一世的英名。

這樣分析下來，程如峰就有了一個比較清晰地找出解開此謎的思路。

首先，應該搞清的是，當時有哪些人才有資格爲包拯撰寫墓誌呢？

包拯生前做官做到了樞密副使，在北宋期間，屬「二府」成員。宋以中書門下掌管政務，因其辦公機關在皇宮之東，被稱「東府」；樞密院掌管軍務，機關在皇宮之西，稱「西府」。「東府」和「西府」合稱爲「二府」，這是當時國家最高的行政機關，除宰相外，「二府」的成員均稱執政大臣，或稱「宰執」。

包拯於宋仁宗嘉祐七年，公元一〇六二年五月二十四日去世，這時「二府」的成員是宰相韓琦，副相曾公亮，參知政事歐陽修、趙概，樞密使張昇，樞密副使包拯、胡宿、吳奎、陳旭共九人。人員之多，爲已往所少有。儘管包拯曾大聲疾呼裁減「冗官、冗兵」，但收效甚微。因爲最高領導機關帶頭膨脹，上行下效，結果就成了越裁減，冗官冗兵越多，以致被時人辛辣地諷刺爲「撥隊爲參政，成群作副樞」。不過，也正是這些人共同造就了北宋歷史上著名的「嘉祐盛世」。

所有「二府」成員都有資格爲包拯撰寫墓誌，也就是說，主動要求爲包拯寫墓誌的人肯定在這八位之中，而不會在八位之外。

第一個可以被排除的閣僚，應該是宰相韓琦。因爲他和包拯都曾是天聖五年同榜進士，包拯考中進士後就居家養親十年，韓琦則青雲直上。但是，韓琦後來雖貴爲一國之相，在「二府」中，他們兩人的關係卻是十分融洽的，沒有過「醜公之正」的言論。再說

韓琦投身政治，雖有《安陽集》傳世，但文學、傳記實在不是他的優勢，不可能主動提出要為包公寫墓誌。董氏墓誌中指出的「彼之文不足，罔公而惑後世」者，絕不可能是韓琦。

參知政事趙概、樞密副使吳奎，雖然也都是包拯天聖五年的同榜進士，但趙概入「二府」不到兩年，包拯就已離世，彼此相知欠深，沒有要寫墓誌的衝動；吳奎則是和包拯志同道合的一對，曾聯名彈劾宋仁宗外戚張堯佐，後吳奎一度遭貶調離中央，包拯曾為吳奎憤憤不平，多次上奏請留吳奎在諫院供職，並盛讚吳奎「孜孜言事，不避權幸」。朝廷不願收回成命，包拯竟深感吳奎一走，自己勢單力薄，孤直易搖，曾七次要求也調往地方。這種甘願與吳奎同榮辱、共進退的堅決行動，表明他們之間的關係非比尋常，包拯辭世，董氏請吳奎撰寫墓誌當是順理成章的事，根本不存在「卻之之愈」。

樞密使張昇，是包拯的頂頭上司，論事激直，與包拯工作關係密切，感情上也從沒有過裂痕；樞密副使陳旭，與包拯政見也相當一致，同為諫官時，也和包拯聯手彈劾過張堯佐。從能夠查閱到的史料看，張昇和陳旭二人都不曾公開批評過包拯，自然也不會引起董氏無端的猜忌，更不會出現董氏墓誌上「夫人謝曰」的情況。

副相曾公亮，雖也是天聖年間進士，但他們進入「二府」後才有了工作關係，除工作

關係而外，好像並沒有其他交往，以上提到的那些特徵多不具備，也就不會有主動要求爲包拯撰寫墓誌的可能。

至於同爲樞密副使的胡宿，倒是公開批評過包拯，而且言詞頗爲激烈。那是在包拯調入北宋最高財政機關擔任三司使時，涇原路士兵因爲八十多天沒有領到折支錢物，個別士兵便出言不遜，漫罵長官，並引起騷動。朝廷把領頭的五人拘捕，二人斬首，三人黥面，風波方才平息。處理這一案件的就是提舉在京諸司庫務的胡宿。事後，他彈劾三司，追查有關官員的責任，曾要包拯交出失職者，依法處理。包拯沒有即時交出，胡宿便又向宋仁宗告御狀，說：「涇卒悖慢，誠當有罪；然折支軍情所繫，積八十五日而不與，則三司豈得無罪？陛下以包拯近臣，不欲與吏一體置對，可謂曲法由慈，而拯不知省俱，公拒制命，如此則王威不行，綱紀益廢矣。」直到御狀告到了包拯的頭上，拿三司是問，並把這事上綱上線了，包拯這才醒悟，馬上將人交出。

從這一件事情上看，胡宿與董氏認爲的「醜公之正者」極爲相似。但是，胡宿與包拯也僅僅是有著工作上的聯繫，對包拯談不上有著很深的了解，難以主動站出來對包拯的一生做出歷史評價，更何況，在「二府」中胡宿並非舞文弄墨之人，也缺少爲包拯撰寫墓誌的熱情。

這麼算下來，就只剩下了一個歐陽修。

歐陽修學識淵博，文采橫溢，當時就被文壇奉爲泰斗。他與包拯的關係，在《包拯集》的全部文章中幾乎尋不到一點蛛絲馬跡。可是在歐陽修的著述裡，包拯的名字卻是屢屢不鮮，對包拯有褒有貶，而且相當深刻，倒是研究包公不可多得的重要史料。

還是在「慶曆新政」期間，參知政事范仲淹銳意改革，在審核大行政區長官轉運使和提點刑獄的名單時，一筆勾銷了庸碌無爲的人，提拔了一批精明強幹、年富力強的人。這些具有改革精神的新生力量一被委以重任，便雷厲風行大刀闊斧地整頓吏治，引起州縣官員的恐懼與抵制。許多官員迅速地糾集在一起，給新政造成極大的阻力。這其中，一些人抓住江東轉運使楊紘、提點刑獄王鼎和判官王綽三人大肆攻擊，誣其爲「江東三虎」，企圖使剛剛實施的新政陷入難以招架的困境。在這場空前激烈的較量中，以王拱辰爲首的御史台是傾向保守的。但正因爲王拱辰的推薦，包拯此時才從遠離京城的端州調進御史台，剛從地方進入中央。

當時包拯對圍繞「慶曆新政」所展開的這場嚴肅的政治鬥爭，既不十分了解，又缺乏足夠的經驗，由於受到王拱辰的影響，曾先後兩次出面向宋仁宗上章〈請不用苛虐之人充監司〉。文中雖沒點名指出「江東三虎」，卻歷數了他聽到的三人苛虐的「惡跡」。這就從客

觀上使得本就舉步維艱的「慶曆新政」雪上加霜。當時身為諫官又衷心擁戴「慶曆新政」改革的歐陽修，對不明眞相的包拯竟替御史台捉刀的這種做法，十分反感，便拍案而起，要求御史台指出「苛虐者」的姓名，以利查處，否則籠統指責，以偏概全，乃是妄說。

這是歐陽修同包拯一次間接而又十分激烈的思想交鋒。

從這一點看，包拯的才學、政治經驗乃至治國的方略，較之於歐陽修確實稍遜一籌。六年之後，皇祐三年，即公元一〇五一年，已當上諫官的包拯，知道當初在御史台的上章，實屬幼稚，嚴重地傷害了江東獻身改革、立志新政的三位官員。包拯知錯就改，為此，他又專門奏了一章〈請錄用楊紘等〉，積極為「江東三虎」平反昭雪。包拯在給仁宗皇帝的奏章中，沉痛地寫道：「頃歲以來，凡有才名之士，必遭險薄之輩假以他事中傷，殆乎屏棄，卒不得用，議者迄今痛惜之。」

由於楊紘等人慘痛的遭遇，使得在「慶曆新政」時期衝鋒陷陣的許多有為之士，普遍受到壓制和迫害。這種社會現象引起了包拯的反省，也引起宋仁宗趙禎的警覺，包拯的這次上章被宋仁宗採納，很快為楊紘等一批改革者官復原職。

這次上章，和發生在御史台的那兩次上章，都在朝野產生不小的影響。從前後這兩件事情上，歐陽修對包拯有了本質的認識，認為包拯到底是個堂堂正正的坦蕩之人，光明磊

落，就把包拯與許多同朝的御史區別開來。

又過了四年，到了至和二年，即公元一〇五五年，做了將近兩年廬州知府的包拯，任期尚有一年，他正勤勤懇懇地爲家鄉的父老努力工作的時候，一件意想不到的事落到了他的頭上。原來，八年前，包拯在出任陝西轉運使時，曾保舉過鳳翔鹽稅、柳州軍事判官盧士安。因爲朝廷信任包拯，薦舉獲准，盧士安得到了提拔，誰知盧士安犯了錯誤，受到了處分。按照北宋行政上的規定，舉薦不當者，應受到問責的追究。包拯被官降一級，罷去了剛剛晉升的刑部郎中，仍爲兵部員外郎，任職也同時作了變動，由廬州府貶到池州任了知州。

當包拯到池州赴任時，朝廷上偏偏發生了一件大事，宋仁宗十分突然地得了精神病。大年初一，滿朝文武正向他拜賀新年呢，他卻忽然頭昏目眩，牙關緊閉，端坐不穩，即將傾倒。幸被宮人扶住，才勉強完成了朝拜儀式。從此，他便終日精神恍惚，胡言亂語。

這消息傳到池州，包公非常焦心，急派專人精製了一盒名貴中藥「石菖蒲」，星夜送往京師。這種池州產的一寸九節的石菖蒲，爲藥中珍品，主治昏厥、癲狂、驚癇等精神性疾病。正是這種醫治風疾、滋補身體的良藥，對宋仁宗健康的恢復起了積極作用。宋仁宗大爲感動，吩咐時任翰林學士的歐陽修起草一份敕書褒獎了包公，表示謝意。歐陽修代筆的

敕書寫道：「汝識遠言忠，身外心內，乃因時物，來效貢儀，深體誠勤，益增歎尚。」詔書用的是宋仁宗的口氣，但字字句句都飽含著歐陽修的眞實感情。

第二年夏天，洪水襲擊了開封，都城倒塌，城內城外一片汪洋。歐陽修藉此機會說水災與冷落賢良有關，天意民心不順，他列舉了包括包拯在內的四人屈在下位，棄之遐遠，非常可惜。他在這份奏摺上，盛讚包拯「清節美行，著自貧賤；讜言正論，聞於朝廷；自列侍從，良多補益」。他要求對以上四人給予提拔重用，以消弭水災。

這顯然表明了歐陽修不計前嫌的博大氣度，字裡行間無不透出了這位文壇泰斗對一代直臣包拯的賞識與敬重。

這年八月，包公則由池州調到了江寧府。江寧府即在今天的南京市，五代時爲南唐的首都金陵府，宋改爲江寧府，是江南東路的政治中心。調往江寧已屬晉級，可包拯還沒來得及閱盡「南朝四百八十寺，多少樓台煙雨中」的江寧景色，這年十二月二十日，一封詔書，又把包拯調至京都，升任開封府知府。

歐陽修與包拯之間的恩恩怨怨，讀來迴腸盪氣，又讓人肅然起敬。

包拯出任開封知府的一年零兩個月，鐵面無私，執法如山，無情地懲治了一批橫行霸道的重臣貴戚、貪官污吏、地痞流氓。群眾口碑載道：「閭里童稚婦女亦知其名。」隨

後，包拯被提升爲御史中丞。

富有戲劇性的是，這次接替包拯權知開封府的竟是翰林學士歐陽修。

當時的御史中丞，爲御史台的主要領導，擁有最高的監察權力，是可以彈劾宰相以下的任何官員的。這期間，三司使張方平曾利用手中的權勢，假公濟私，廉價套購自己管轄範圍內有錢人的住宅。包拯認爲張方平身爲朝廷重臣，失去廉恥，不可用，便彈劾張方平。宋仁宗聽取了包拯的意見，就免去了張方平三司使的職務，任命吏部侍郎宋祁接替。宋祁博學多才，與哥哥宋庠同時考中進士，在當時享有盛名。但宋祁在調爲三司使前，在任益州（今四川省成都）知州時，蓄養許多姬妾，常常置酒高歌，尋歡作樂。這次調入朝廷，擔任三司使不過二十天，包拯即彈劾他在益州飲宴過度，揮霍浪費。同時指出其兄長宋庠又是現任樞密使，身居相位，處於國家的機密重地，其弟宋祁再攬國家財柄，則兄弟二人權任太重。包拯上疏要求宋祁應該迴避。宋仁宗又聽取了包拯的意見，就把宋祁改任鄭州知州，調離了中央機關。

如果故事到此爲止，大家仍可相安無事，因爲早已威震開封府的「包龍圖」包拯連皇親國戚都敢彈劾，彈劾個張方平、宋祁算啥？即便他宋祁的哥哥就是當朝的相爺，包拯就是包拯，彈劾了誰又會大驚小怪。

可事情偏偏是：宋仁宗免掉了張方平和宋祁，這不選，那不選，恰恰選中包公去頂宋祁的缺，去當「三司使」！

選中了他，他居然連一句推辭的話也不說，自信能當好這個財政統領，便立即痛痛快快地走馬上任。

當時，官場上有個「遊戲規則」，講究「名節」、「謙讓」、「避免形跡」。就是說，當一個官人接到被提拔重用的任命時，即使你心裡早已急不可耐，行動上也不能表示立刻接受，一般總要上表辭讓一番，以表明自己淡泊名利，不慕榮華。甚至還要說上幾句自己才識淺薄、難當此任的話。可是，包拯是個實心秤砣，心口如一之人，他對那種表裡不一虛情假意的「辭讓」和過分講究「形跡」的陳腐之風，早就厭惡透頂。想到過去自己曾在三司擔任過戶部判官和戶部副使，又長期就任過州郡長官和轉運使，擔當「三司使」可以說是駕輕就熟的事，就沒做任何推辭，立馬赴命。

結果，一時輿論譁然。歐陽修竟也慷慨陳詞，竭力諫阻，覺得這樣委派不合適，要求朝廷收回成命。

歐陽修認爲，包拯連續逐走了兩個三司使，最後竟自己取而代之，這是「蹊牛奪田，豈得無過；而整冠納履，當避可疑」。好比牽牛出去糟蹋人家的莊稼，固然不對，因而就把

別人的牛奪過來變爲己有，也顯得太過分了。他說以包拯的才能資望，升遷任何職務都行，惟獨不宜當三司使，自涉嫌疑，使人惋惜。

其實，歐陽修在這裡對包拯並沒有過多的指責，主要是在對朝廷提出意見。認爲指責別人的過錯，就容易被人說是「攻擊」；搞掉人家的官職，也容易被人看作是「傾軋」。諫官、御史之所以不被人誤解，而且更有威信，就是因爲他們不避權貴，忘身殉國，不貪私利，所以令人信服。現在包拯連逐兩臣，卻自居其位，此例一開，就會使天下的奸邪之人有了藉口，也將使言事之官失去權威。如果此風一長，後患非同小可。所以朝廷應該保全臣下的名節，包拯也應該考慮朝廷的大體，另選他人爲三司使最爲妥當。

就是在這篇批評的奏章裡，歐陽修還是對包拯作了許多肯定，如「拯性好剛，天姿峭直」，如「少有孝行，聞於鄉里；晚有直節，著於朝廷」。歐陽修的這些精闢而極富文采的用語，後來成了《宋史》中借用的對包拯的最佳評價。他對包拯的批評也只是「素少學問，朝廷事體或有不思」。這種批評，其實是恰如其分的，並不過激，更無惡意。

縱觀包拯的一生，儘管他曾先後成爲北宋財政、監察和軍事方面的最高長官，智勇過人，忠直超群，但作爲政治家的包拯卻遠非爐火純青。

總之，這件事弄得包拯非常尷尬。在強烈的輿論面前，包拯不得不居家避命，沒去上

任。但是宋仁宗也就認定包拯擔任三司使最合適，堅持成命。君命難違，包拯最後還是去了三司。

這以後不久，歐陽修和包拯相繼進入「二府」，二人朝夕相處，共商國是，沒有再發現政見分歧，表明所見略同，合作得很好。包拯的突然去世，據吳奎所記：「其縣邑公聊忠黨之士，哭之盡哀。京師吏民，莫不感傷，歎息之聲，閒於衢路。」

從宋人筆記和府州方志上的記載看，包公逝世的消息報到朝廷，宋仁宗趙禎悲痛不已，竟停止辦公，輟朝一日，親自趕到包公家中弔唁。當他看到披麻戴孝的包綬，年僅五歲，還是個不諳世事的小孩子，情不自禁地落下淚來，感歎道：「包拯一生公而忘私，從來沒有給自己的子孫後代謀求福祿啊！」

包公的靈堂，設置在京城開封的御寺，大相國寺的附近。前來瞻拜祭奠的文武百官、各界父老，如潮水一般，絡繹不絕，在門外排起了長龍。開封百姓，扶老攜幼，紛紛湧出家門，自發地彙集在大街小巷。或捶胸頓足，或搖頭歎息，好像包公一走，大宋就失去了擎天大樑。開封上下處處可聞哀泣之聲！

包公工作過的端州、陳州、雄州、霸州、瀛州、揚州、池州等州府，無不沉浸在一片哀痛之中。

噩耗傳到包公的家鄉盧州合肥，合肥城更是萬人空巷，自發地雲集到包公少年讀書的包河香花墩，「莫不感傷」，「哭聲盡哀」。

那段日子，華夏大地莫不被陰雲籠罩，眞是天地動容；舉國上下，官民同悲，哀聲遍野。這在中國的歷史上實屬罕見！

宋仁宗爲表彰包公的忠誠和建立的功勳，加封包公爲東海郡開國侯，追封他爲禮部尚書；還根據包公孝敬父母，嚴肅處世，清廉剛直一生，又以「孝肅」二字定爲他的「諡號」。

對於包公的溘然去世，歐陽修肯定也是十分悲痛的。正因爲不打不成交，歐陽修對包拯一生的理解，肯定會比任何一個人都來得深刻；再說，憑他的才學，撰寫包公墓誌也是得心應手的，因此他滿懷熱忱地「甘辭致唁，因丐爲之誌」，應該是情理中的事情。甚至，可以說，在當朝的文武百官中，爲包拯撰寫墓誌銘最佳的人選，非歐陽修莫屬！

可以想像到，歐陽修的這種心願，最後竟被包拯夫人董氏婉言謝絕，該是多麼的沮喪。這從後來出版的《孝肅包公奏議集》中，也能看出個中蹊蹺。

包拯死後三年，一〇六五年，包拯的門生張田到廬州任太守，董氏把她珍藏的包拯生前所寫的奏議底稿，交給了張田，由張田分成十五卷，三十門，計一百八十七篇，編纂成

《孝肅包公奏議》，即今天我們看到的《包拯集》。很顯然，這部幾乎彙編了包公一生奏議的集子，恰恰就沒有收錄包公彈劾張方平和宋祁的那兩篇著名的奏議，以致今天已經失傳。這不會是張田的一時疏忽，倒有可能是董氏知道這兩篇奏議招來了歐陽修「蹊田奪牛」的批評，就把底稿扣壓了下來，沒有再交給張田；或是董氏雖給了張田，因爲張田出於同樣的考慮，在「取其大者」的原則下，把它刪除了。其目的無非也是想把這件事從歷史上淡化掉，免得長期「牽累」包拯。總之，歐陽修措詞嚴峻的上書，無疑在包家引起過不小的震動，才被董氏認爲是「有素醜公之正者」。

只要把董氏的言論與以上事件聯繫起來，結論便是不言自明的了：董氏惟恐歪曲了包拯，以誤導了後世，婉言謝絕撰寫墓誌的這個人，極有可能是歐陽修。

還因爲當時的歐陽修地位高、名望重，吳奎在爲包拯撰寫墓誌銘的時候，他不能不提及此事，但雖提及，又不能不有所顧忌，遂含混地隱其姓名。也正因爲吳奎的欲蓋彌彰，留下了這個謎，卻成了今天人們解開謎底的指示器。

果眞如此，那就是天大的遺憾。歐陽修的道德、文章名冠天下，豈是吳奎所能企及！包公的墓誌銘，如果出自歐陽修之手，勢必會像韓愈撰寫柳宗元的墓誌銘一樣，珠聯璧合，相得益彰，成爲中國的文化史上又一樁千古佳話！

董氏畢竟是包公的賢內助。正如她的墓誌所寫的那樣，「夫人佐公，承顏主饋，內恪盡婦道，外不失族人歡心者，蓋十三年。」「孝肅漸貴，夫人與公終日相對，素風泊然。」她出身在一個官宦之家，自幼讀書識字，有很高的禮教修養。自打與包拯結爲秦晉之好，便把自己的一切獻給了包公。包拯考中進士，任命爲江西建昌縣知縣，父母不願離開家鄉合肥到江西，包拯爲了父母晚年能生活得愉快，便放棄了別人夢寐以求的做官機會。董氏也心甘情願地陪伴包拯，在家奉養雙親。包公從三十八歲開始，去各地做官，董氏則不辭風霜，緊緊地伴隨其左右。她和包拯一樣，舉止端莊，生活儉樸，不講究穿戴打扮，不貪圖吃喝享受，不追求珍奇異物。當包公被提拔爲樞密副使，參預執掌國政時，董氏也由仁壽郡君加封爲永康郡夫人。按照當時的規矩，董氏要去向皇后表示感謝。她進宮時，依然是一身普通百姓的衣服。這使得皇后感慨不已，對宮女們誇道：「包夫人那般衣著，足見包拯是一個不謀私利的人啊！」連忙請求宋仁宗賜給董氏一套誥命夫人的服飾。

包公在開封去世，董氏和女婿文效帶領全家老小護送包公的靈柩返回合肥，料理後事，並積極籌畫把包公生前的奏議編纂成集，刊行於世。直到一〇六八年在合肥病逝，和包公合葬於一處。

然而，具有悲劇色彩的卻是，從南宋開始，她就被包氏家族遺忘了，更被包公家鄉的

合肥人民遺忘了。因爲，查遍流傳下來的所有的包氏家譜、盧州府志、合肥縣志，你根本就別指望可以查出一個「董氏」的名字來！

9 包公兒媳其人其事

清理工作繼續在進行。

被標爲「七號墓」的墳墓，是位於整個墓地中軸線東南側下方左起的第一座。挖開後發現是一座用石條砌成的、分爲南北二室的夫妻合葬墓。兩室均爲紅糙石砌牆，青石板作蓋板，條石上滿布著密集的斜條形鑿紋。

北室的面積較大，按照「男尊女卑」的傳統，該是男方墓池；南室較小，應爲女方墓室。

北室的南壁，和南室的北壁，共爲一牆。石牆是用長方形的石條由底向上平砌，到了墓口處用石板平鋪而成。

清理時發現男方墓室的蓋板已經不全，從塌陷到墓底的四塊殘斷蓋板的面積推算，還應該有八塊蓋板不翼而飛。再從北牆大部崩塌、條石破碎、位置凌亂的現象分析，此墓已

被盜掘過。

兩個墓室中的人骨架均已腐爛，只有頭蓋骨的碎片混於墓底的亂石與淤泥之中。陪葬的東西因被盜掘過，無從知曉了。在男方墓室中清理出漆果盒一件，殘破得無法復原，只依稀可辨木胎內部髹著黑漆，外表髹著紅漆。蓋子上和底子上似乎是以十二個蓮瓣形成，就其形象推測，當年肯定是一個相當精美的漆果盒，爲墓主生前十分喜愛的一件器物。此外，還找出了殘損陶器三件，屬於陶罐、陶壺之類；再就是銅錢四枚，「乾元重寶」和「皇宋通寶」各一枚，其餘二枚經泥土長期的腐蝕，字跡不清。女方墓室的墓口蓋板卻較爲完整，沒受到多大的破壞。但煞費苦心地搜索隨葬的遺物，最後找到的也只有一枚「元豐通寶」的銅錢。

但是，就在這種看似枯燥無味的搜索中，奇跡又一次發生了！

看上去好像「一貧如洗」的女方墓室，發現了一合墓誌。這合方形墓誌居然與包拯的墓誌同等大小；墓蓋上的篆字竟也和包拯墓誌蓋的一樣，都是出自當時著名書畫家文勳的手筆；撰寫墓誌的，想不到還是翰林大學士錢勰所爲，誌石上的文字也是當朝宰相文彥博之子文及甫的手書。

男方墓室之大，表明著他的高貴，卻空有一方石槨；女槨雖較男槨要小，但非凡的墓

誌卻讓人刮目相看，顯示著她生前的顯赫！

男槨沒留下丁點兒文字，女槨的墓誌蓋上卻清清楚楚標明了墓主的身分：宋節婦永嘉郡君崔氏。崔氏的墓誌出土時，兩面的文字相當吻合並立於墓室的西牆之處，底部墊土夯實，誌石仍十分平穩，刻文幾乎沒有受到絲毫的損壞。

從墓誌上得知，原來這是包公長子包繶和長媳崔氏的合葬墓。

崔氏的墓誌銘記述了一個十分美麗而且感人的故事。崔氏家住荊州（今湖北省江陵市），母親姓呂，外公是當過三朝宰相的呂蒙正。因此，崔家與包家，算得上門當戶對。她十九歲與包公長子包繶結為伉儷。包繶因包公官居高位，受到特殊的「蔭補」，很小就獲得「太常寺太祝」的官銜，但還未上任便於婚後的第二年病故。崔氏悲慟欲絕。誰知，禍不單行，幾年以後，好不容易已經長到五歲的兒子包文輔又夭折。

包公和董氏失去了唯一的兒子，心如刀絞，但他們畢竟是開明的人，不希望崔氏在家守節，念及她太年輕，勸她重新建立一個新的家庭。崔氏卻執意不從，認為公婆失去獨子已夠悲傷，她再離開豈不叫老人更添一層痛苦。便說：「公公是天下敬慕之人，我能夠代替丈夫奉養公婆，就已經心滿意足了。」

其實，崔氏是個有心人，她已發現包公身邊的媵女孫氏，突然被包公打發回了娘家，

而孫氏是懷有身孕的。飽嘗喪子之苦的崔氏，於是背著公婆，暗下裡不斷派人去孫氏家問寒問暖，送去錢財、衣物和食品。天遂人願，後來孫氏生下一個男孩，崔氏又偷偷把男孩抱養在自己的房裡，名爲長嫂，實爲養母。一年之後，在包公六十大壽之際，把孩子抱了出來，送到包公面前，說：「這是公公的小兒子！」不僅包公開懷大笑，已經痛失了愛子的董氏，也樂得合不攏嘴。

包公遂將這個一歲多的小兒子取名包綖。

包公去世之後，崔氏陪著婆婆，抱著五歲的包綖，護送著包公的靈柩從開封回到合肥。包家人剛把包公安葬完畢，崔氏的母親呂氏也從荊州趕到合肥。母女多年未見，自然格外親熱，但小住數日之後，呂母便向崔氏道出這次來的意圖，原來，她已爲女兒找了個有才有貌的郎君，要崔氏跟她一道回去。

可是崔氏決心已定，她說：「我已守節數年，如果想改嫁，就不會等到今天了。」呂母一次次地開導女兒：「『在家從父，出門從夫，夫死從子』，大家都是這樣做的。如今妳丈夫去世多年，兒子又死了，還有什麼可守的呢？」

崔氏說：「從前我沒有離開包家，主要是爲了公婆。現在公公雖去，婆婆年事已高，還有一個小弟弟，如同我自己的兒子，包家的門戶全靠我來撐持，我怎能在他們最困難的

時候，丟開他們不管呢？」

呂氏生氣了，衝著女兒道：「我也老了，爲了妳，我千里迢迢，不辭勞苦地趕過來，妳不跟我回去，我就呆在這裡不走了！」

崔氏耐心地勸說著母親：「如果陪伴母親回去，順便看看舅舅、舅母，這些都是我樂意做的；但您千萬別勉強我去做不願意做的事。」

幾天之後，崔氏打點行裝，只帶了幾件隨身換洗的衣服，金銀首飾一件不拿，連箱櫃的鑰匙也一起交給婆婆保管。並對婆婆董氏說：「我很快就會回來的。」

臨走時，包府舉家相送，廬州城的街道上也擠滿了送行的人群。包綖從屋子裡衝出來，緊緊抱著崔氏的腿不放。董氏抱起了包綖，淚流滿面，對崔氏母女說：「孩子，你就放心走吧；也請親家母多保重。」

大家都覺得，崔氏跟母親這一去，將很難再見面了。崔氏卻平靜地說：「我會回來的。」

一路上，崔氏細心地伺候母親，平平安安回到了荊州。舅舅、舅母對她的到來十分高興，也都爲她孝順婆婆、撫養幼弟、捨己爲人、矢志不移的古道熱腸所感動。慢慢地，呂氏終於也理解了女兒的心思。終於有一天，崔氏拜別母親，又踏上回合肥的路。

當崔氏重新出現在合肥街頭的時候，人們眞的是又驚又喜。這事，一傳十，十傳百，竟然轟動了一座廬州城。廬州知州張田聽說這件事後，非常感動，於是撰寫了一篇〈節婦傳〉，上報朝廷。朝廷也大爲驚異，傳旨特封崔氏爲壽安縣君。

這以後，包綖漸漸地長大，崔氏請來啓蒙老師，教包綖讀書識字，並給包綖取學名包綬。包綬九歲時，包夫人董氏一病不起，崔氏親自爲董氏調理湯藥，整天不離床頭。董氏去世後，崔氏又一手張羅後事，修建墓室，刻寫墓誌，把董氏妥善地安葬在包公的墓地。從此包家的門戶便全由崔氏一手掌管。崔氏將包綬撫育成人後，又由她做主，給包綬娶了廬州知州張田的女兒張氏爲妻。

這時，當朝宰相文彥博念及「包拯之後，惟綬一身」，就給朝廷呈上〈舉包綬〉的奏摺。那時宋仁宗趙禎早已「駕崩」，繼位的宋哲宗趙煦敕包綬做了濠州（今安徽省鳳陽縣）團練判官。張氏不幸早逝，崔氏再次主婚，讓包綬與文彥博的小女兒文氏結爲夫妻。

待這一切都辦妥當了，崔氏就派人到開封一帶去尋找包綬生身母親孫氏的下落。最後把孫氏接到合肥，讓包綬母子骨肉團聚。

崔氏還注意到族親的姪子包永年，先後失去父母，無依無靠。她把包永年收養下來，作爲死去的丈夫包繶和自己的繼子，一直將他培養成人。

崔氏在包氏家族中和在社會上，都享有極高的聲譽，在廬州一帶流傳甚廣的「長嫂當母」的這句民諺，便由此而來。後來宋哲宗又下詔加封她爲永嘉郡君。嘉獎的詔書便是當時著名大文豪蘇東坡所撰：

敕崔氏。汝甲族之遺孤，大臣之塚婦。夫亡子夭，煢然無歸，而能誓死不嫁，撫養孤弱，使我嘉祐名臣之後，有立於世，惟汝之功。昔衛世子早死，共姜自誓，詩人歌之；韓愈幼孤，養於嫂鄭，愈喪之期，若崔氏者可謂兼之矣。其改賜湯沐，表異其所居，所以風曉郡國，使薄於孝悌者有所愧焉。

詔書中所謂「表異其所居」，就是在包公的家門口爲崔氏築一座巍巍高台，台上再建一個氣宇軒昂的門樓子，人稱「節婦台」。以顯示崔氏的與眾不同，享有皇上表彰的殊譽。

當年的那座「節婦台」，雖然早已消失在歷史的煙雲之中，但蘇東坡爲宋哲宗代寫的這個嘉獎詔書，卻被後人收入《東坡全集‧故樞副包拯男繶妻崔氏封永嘉郡君制》。

崔氏於紹聖元年，也就是一〇九四年去世，活了六十二歲。生前，包綬像對母親一樣地孝順她。她去世的時候，包綬正在開封最高學府裡擔任國子監丞，聞訊之後，悲痛欲

絕，連夜奔喪回到合肥，用對親生母親一樣的禮節，披麻戴孝，爲崔氏辦了喪事。

比享有皇帝表彰更榮光的是，《宋史》爲崔氏立了傳。她的名字和包拯一樣照耀史冊。公公和兒媳，同時被寫進了國史的，這在中國五千多年的歷史之中，也是絕無僅有的。可以這樣說，是包公的精神感染了崔氏，而崔氏的風範又爲包公增添了異彩，於是同垂青史。

當然，沒有崔氏，可能便不會有今天遍佈天下的包氏後裔！

10 包公的臨終遺囑

位於墓地中軸線前下方左起第二座墳塋，被編爲「四號墓」，清理後知道，這是包公的長孫，也就是被崔氏收養的螟蛉兒子包永年之墓。

土坑木棺，未曾擾動，棺骨大都腐爛。隨葬的器物極其一般，除去宋墓常見的那種影青印花瓷、黑釉瓷碗、銅鏡和銅錢而外，最顯眼的，就是兩邊刻有纏枝卷葉圖案的「宋宣教郎包公墓誌」了。

從墓誌上看，包永年在幼年時就遭遇父親去世、母親改嫁的不幸，孤苦伶仃的包永年是由崔氏一手撫養成人的，他對崔氏，如同兒子對母親。

元豐年間，宋神宗趙頊追念包拯忠心赤膽，輔佐朝廷，下令把包拯的畫像掛在太廟裡面，即便是皇帝祭祀時也要有他的一炷香火，同時對包拯的後代給予妥善照顧。這以後，包永年被恩准參加考試，由於成績優秀，就破格做了巢縣主簿。可是，正當包永年準備赴

任時，驚聞崔氏病故，於是他「杜門終喪，哀毀盡禮，鄉閭皆稱其孝」。他閉門三年，直到守孝期滿，才到開封府咸平縣（今河南省通許縣）上任。

咸平當時是個很大的縣城，商賈雲集，市場繁榮。包永年到任後持身廉潔，盡心盡職，受到吏民一致的擁戴。後來調任袁州（今江西省宜春市）分宜縣尉，負責維持地方的治安。由於他對縣令圖謀私利異常氣憤，不甘心和這樣的贓官同流合污，便毅然辭去職務，回家當了老百姓。

在這期間，包永年生母蕭氏改嫁後的丈夫也去世。本來他們已經斷絕了母子之情，但聽說蕭氏又孑然一身，生活無著，生性慈孝的包永年就又主動把蕭氏接回家中，「晨昏侍奉，益敦子職」。包永年賦閒在家的六年之後，朝廷再次起用他為處州（今浙江麗水市）遂昌縣令。就任只有一年，生母去世，他從遂昌縣趕回合肥，「居喪如禮」，服除以後，才外出任職。

因為包永年才能出眾，又為人謙和，同僚們棘手的難題，都請他出主意。他也總是有求必應。三年任滿，臨走的時候，全州的老百姓依依不捨，攀著他的車子，攔著他的去路，都想看一看這位名臣之後、人人讚歎不絕的好官。

政和八年，包永年晉升為七品宣教郎，去鄂州（今湖北省武漢）任崇陽縣知事。由於

長期過度的勞累，任期未滿就患病請假回鄉，去世時只有四十一歲。

他爲官在外，不論在何處都保持著「孝肅家風」，從不貪求苟得，只知勤奮工作，去世之後，在他的衣櫃裡竟沒有發現一點積蓄。

他先後娶過三個妻子，都是官宦之家的千金小姐，三人都在包永年之前病故。留下一子包完，尚小；三個女兒，兩個出嫁，一個尚幼。正因爲兒小女幼，家中貧困，包永年的喪事還是兩個堂弟，也就是包綬的兒子包耆年和包景年湊錢給安葬的。

今天墓室裡清理出來的那一只瓷缽、兩個瓷碗、一面銅鏡和幾枚銅錢，可以說是官至七品宣教郎的包永年生前的全部家當！

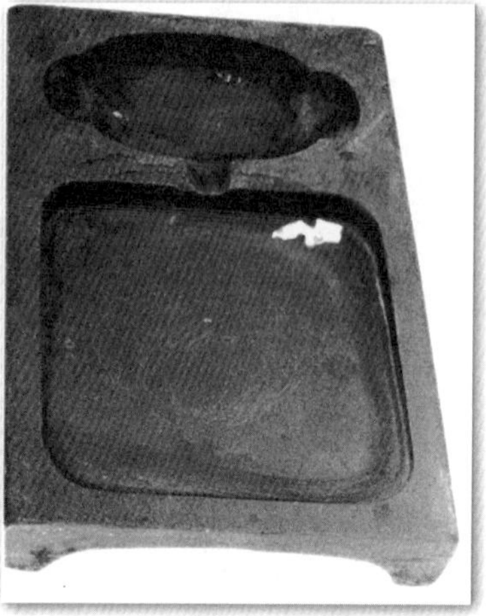

▲硯台。包綬墓出土，係皖南歙硯，而非端硯。或可說明包公確實沒從端州帶一方硯台歸來。

「五號墓」被掘開後，隨葬器物竟同包永年的「四號墓」一樣，也是清貧得驚人。除當時日常使用的銅鏡、銅錢、瓷碗而外，似乎也只比「四號墓」多了一枚銅印、兩件水晶珠和一方硯台。

從「五號墓」出土的墓誌銘上確認，這

是包公次子包綬和次媳文氏的合葬墓。包綬夫妻合葬墓的清理，讓世上知道了包公身前身後更多的不爲人知的故事。

嘉祐七年，即一〇六二年的五月十三日，包公正在樞密院處理軍政要事，突然發病，被招回家，從此臥床不起。包公心裡明白，自己已是凶多吉少，來日不多。他把包綬（當時乳名還叫包綖）喚到床前。望著只有五歲還是個頑童的包綬，包公不覺連聲歎息。

他心裡十分清楚，他死後，兒子包綬會受到「蔭補」，繼續在朝中爲官。正因如此，他才格外地放心不下。於是他拿起筆，寫出了自己最想說的幾句話，也算是自己的一份書面遺囑了：

> 後世子孫仕宦，有犯贓濫者，不得放歸本家；亡歿之後，不得葬於大塋之中，不從吾志，非吾子孫。仰珙刑石，竪於堂屋東壁，以照後世。

他告誡包綬以及後世子孫，一定要以廉潔爲本，絕不允許去幹那種貪贓枉法的勾當。如有了不肖子孫，不准他進包家大門，死後也不准埋在他的墓園之中。

遺囑可謂寫出了包公的性格。他還擔心一紙遺書容易損壞丟失，又明確交代，要把一

字一句地刻在石頭上，然後砌到堂屋的牆壁上去，讓世世代代的人都知道，都來監督包家子孫的一言一行。誰違背了他的遺願，就不是他包拯的後人。

包公卒於嘉祐七年庚午，即公元一〇六二年五月二十四日的夜晚。

包公逝世的消息，驚動了宋仁宗，宋仁宗親自前往弔唁。當宋仁宗看到靈前的包綬只是個小娃娃，衣著打扮極其一般，環顧家中的陳設也與包公的身分相去甚遠，禁不住一陣心酸，好久說不出話來。爲了照顧包公的後代，當時賜給包綬很多錢物，還交代左右敕給包綬一個「太常寺太祝」的官銜，並記錄在案。

這以後包綬就隨著家人回到合肥，在官府的幫助下，請了一位學問高、德行好的老先生做他的啓蒙老師，開始讀書識字。八歲時，逢上朝廷三年一次的祭祀盛典，百官照例晉升一級，包綬也由「太常寺太祝」轉爲「大理評事」。小小的年紀，便已取得當年包公考中進士後才取得的同等職位。不久，又加爲「承事郎」，就是說，包綬還是童稚之年，就具有了八品官的身分。這顯然是完全違背包公生前意願的，因爲包公一直就反對不分才智高低貢獻大小，論資排輩地加官晉爵，以及爲照顧重臣子弟的太多太濫的規定。但是他的這些意見也一直沒有被朝廷採納，不合理的規章制度依然在延續，便使得包綬成了一個受益者。

不過，包綬還是挺有志氣的。他沒有在溫室裡萎縮退化，而是更加自強、奮進。他虛心好學，知書達理，遇事愛動腦筋，不大隨聲附和、人云亦云；他嚴以律己，又愛恨分明，時時刻刻把包公的遺言作爲座右銘，一舉一動，酷似包拯。

他第一次做官，是擔任濠州（今安徽省鳳陽縣）團練判官。處世嚴峻，辦事認眞，奉公守法，不貪圖財利，即便就是對濠州知州也不含糊。知州見包綬身爲名門之後，卻從不以勢位自居，又在群眾中有極高的威信，遇到事情就總要先聽一聽包綬的意見。包綬就對知州直言不諱，因此二人相處甚好，團結一致給濠州黎民百姓辦了許多好事。三年期滿，離開濠州時，包綬博得一個「廉潔勤政」的好名聲。

包綬以後調至京城，提升爲七品宣義郎，分配做少府監丞，負責管理製造皇帝用的服裝、車駕、寶冊、符印、旌旗、標準度量衡，以及祭祀、朝令所需要的各種雜什。工作雖然千頭萬緒，卻被包綬料理得井井有條。他把所有能工巧匠的積極性都調動了起來，贏得朝廷大臣一片讚許聲，紛紛上疏推薦他。尤其是包拯的同僚好友、當朝宰相文彥博的推薦書寫得更爲懇切，說：「故樞密副使包拯身備忠孝，秉節清勁，直道立朝，中外嚴憚，先帝以其德望之重，擢爲輔臣，未盡其才，不久薨謝。」並指出，「包拯之後，惟綬一身，孤立不倚，」「能世其家，恬靜自守，不苟求進。」

文彥博不僅傾力舉薦，還把自己心愛的小女兒許配給包綬爲妻。

由於受到朝廷的器重，這以後，包綬先是被調到國家最高學府國子監，任國子監丞；繼而進爲宣德郎，主管宮寶、城郭、橋梁、舟車等的營造與修繕。在宣德郎的任上，他通過認眞調查研究，用現在的說法，就是把責權利結合在一起，大膽採用承包的辦法，使得各項工程做到花錢少、進度快、質量又高，爲大家所稱道。

在提升爲六品的通直郎不久，朝廷就任命包綬爲汝州（今河南臨汝縣）通判。汝州是個地瘦民貧之地，橫行其間的豪紳惡吏爲非作歹，弄得民不聊生。年輕人被迫嘯聚山林，打家劫舍。境內極不平靜。包綬到了汝州，爲官清正，嚴懲奸商惡霸，打擊貪官污吏。被迫走上山寨的人，紛紛回家務業，改邪歸正，很快，汝州便呈現出一片平和安詳的景象。

當包綬被晉升爲正六品朝奉郎，調離汝州的時候，汝州的百姓扶老攜幼，爭先恐後想看一看他的風采，爲他送行。讚歎不絕地誇讚他：「不愧是包公之後，難得有這樣的好官啊！」

崇寧四年，一一〇五年的金秋十月，包綬調任譚州（今湖南長沙市）通判。赴任的時候，途經合肥，他安排好家事，便乘船沿南淝河進巢湖，然後入長江，溯江而上。

誰曾想，正值年富力強，前程似錦之時，包綬踏上的竟是一條不歸路。在途中，他身

染重病，船隻開到黃州（今湖北省黃岡縣）附近，便不治身亡，年僅四十七歲。

後來人們打開了他隨身的箱子，發現除去誥命、書籍、著述、文具外，竟找不出一件值錢的東西，在場的人都驚呆了。

八歲就被皇上賜爲「大理評事」，以後又掌管過皇室那麼多的奇珍異寶，主管過宮廷裡的那麼多工程的營造和修繕，還先後當過濠州團練判官與汝州通判，已是仕至六品的達官貴人，與世長辭時衣袋裡居然只找出四十六枚銅錢！

於是，人們猜測：他的死，是連病帶餓致死。

包綬結過兩次婚。第一個妻子是包拯的門生、做過廬州知州的張田的女兒，張氏早年去世，包綬後又與文彥博的小女兒結了婚。相門出身的文氏，並不是一位雍容華貴的嬌小姐。她恬靜寡欲，生活儉樸，待人和善，從不以勢自居，見人有急難，還樂於慷慨接濟。她經常吃素，曾與包綬一道接受過道教的洗禮，把榮耀富貴只看作是蚊蟲從眼前飛過。這也難怪，這時的北宋，已與包拯所處的時代大不相同，世風日下，官場也更加腐敗。而他們卻又嚴守父命，看重節操，不願隨波逐流與世浮沉，故而只能從信道教以求得心靈上的慰藉。

文氏也只活了三十多歲，比包綬早四年去世。

包綬和張氏共生了四個兒子、三個女兒，兒子分別叫包康年、包耆年、包彭年、包景年。三個女兒沒留下姓名，但從墓誌和家譜上得知，大女兒和小女兒也都在包綬生前夭折；包康年和包彭年也在包綬死後不久相繼死去。

在研究墓誌和家譜中意外地發現：包綬的一家共有十人，其中七人是在幼年和青年過世的。數包綬的年齡最長，也才四十七歲。想必包綬兒女眾多，俸祿低微，卻又爲官清正，不貪不佔，日子過得並不寬裕吧？

包綬死時，兒女們均未成人，一家老小只有依靠姑父文效和官府的接濟度日，甚至沒有能力將包綬的靈柩從黃州運回合肥。直到十六年後，包耆年、包景年都已安家立業，經濟狀況稍有好轉了，這才把父親的棺骨從湖北運回，葬入合肥大興集包氏「大塋」，算是葉落歸根。

包綬和文氏的合葬墓緊挨在包公墓的左下側，棺木直接埋入土裡，跟普通平民的葬式沒有兩樣。包綬墓穴的隨葬品，大都是他到潭州赴任時隨身攜帶的日用品。如果沒有墓誌作證，誰能知道在這兒長眠的就是包拯的兒子呢？

包綬墓出土的幾件文物中，最引人注意的，就是那方帶有碎錠殘墨的硯台了。硯台長十七公分，寬十點八公分，高二公分，長方形的硯台水池卻是橢圓的，造型十分精美，底

部還斜刻著瓦形圖案，於高雅之中顯出幾分古樸。

這是一種「抄手硯」，是由唐朝「箕形硯」發展變化而來，多見於宋墓中。當時各產硯地區都生產「抄手硯」，成爲宋代的一種典型器物。

從包綬墓出土的這方石硯，經專家鑑定，係皖南歙州生產，通常被稱作「歙硯」。這種認定十分重要。因爲包綬作爲包公唯一的傳人，他用的只是安徽當地的歙硯，這就證實了當年包公去端州任知府，卸任時「不持一硯歸」並非來自文人騷客的杜撰，而是確有其事。

11 發現了包公遺骨

包綬夫妻墓清理結束後，程如峰的眼睛就盯住與包綬夫妻合葬墓相對稱的、右側隆起的那座大墳堆發怔：他實在不明白，包繶和包綬兩對夫妻合葬墓都已打開過了，那個地方葬的又是誰呢？

探墓技工陳廷獻最初在用「洛陽鏟」探墓的時候，就感到奇怪。他圍繞這座墳頭打下了不少探眼。從「洛陽鏟」帶上來的土色看，好像沒有含著棺木的「五花土」；幾個探眼處的土層，都比較疏鬆，也沒有發現被夯實的痕跡。

扒開之後，才知道，這整座墳墓竟是一個「實心饅頭」。裡面沒有墓坑，沒有棺骨，全是用土堆成的一座假墓。幹了大半輩子考古的吳興漢，大爲詫異；「半路出家」的程如峰，更是感到莫名其妙。

陳廷獻也感到意外。但他在探墓方面畢竟見多識廣，早聽老輩人說過，古代有一種只

有封土，沒有坑位的假墓，那叫「疑塚」。它可使墓群的佈局變得勻稱、美觀，又可設置假像，轉移盜掘人的視線。

經陳廷獻這麼一說，程如峰果然發現，如果不是在又偏又小的一號墓發現了包公夫妻眞正的合葬墓，而是把人們一向視爲包公墓的墳頭依然看作主墓的話，那麼，包公三代的墳頭就呈現出一個半月形，整個墓園就顯得半虛半實，很不規整。已葬的不宜遷徙，新死的輩分低又不相當。正是因爲加了這座「疑塚」，在墓園的中軸線上，它與包綬夫妻的合葬墓正好東西對稱。這樣，墳頭的佈局就由半月形變成了眾星拱月的態勢，從而使得主墓居高臨下，巍巍獨尊。

這確實不僅可以迷惑盜墓人，也顯出了墓園營造上的獨具匠心。「疑塚」的出現，使大家的注意力就全集中到了主墓上。「疑塚」使得主墓的地位不容置疑！

善於在墓誌上花費腦筋的程如峰，把整理出來的五塊墓誌銘排在一起，相互對照，試圖從字裡行間窺出個什麼秘密來。果然，功夫不負有心人。他發現，崔氏、包綬、包永年，三人的墓誌都明白無誤地注明，葬於「合肥公城鄉公城里東村」，具體的方位分別是「先塋之次」、「實先塋之次」，以及「祖塋之次」。「先塋」也好，「祖塋」也罷，指的當然全是包公墓，它在告訴人們：他們全是葬在包公墓的下面。

這就表明：在他們上面的主墓，編爲「六號墓」的那座墳墓，就是眞正的包公墓。

問題是，包公和董氏二人的墓誌石，又確實是在那個埋得十分草率而又邊遠的小墓中發現的，並且，還發現了一個人的遺骨。至於是何人的遺骨，儘管一時半會還很難確定，但至少可以肯定，那個小墓只會是包公夫妻的遷葬墓。

那麼，「眾星捧月」的主墓，是否就是眞正的包公墓，或者說是包公夫妻的原葬墓呢？主墓裡，現在又會是個什麼樣子呢？它的裡面，又將有一些什麼樣的秘密告訴我們呢？

周圍「之次」的其他墳塋，大都發掘結束了，該是清理編爲「六號墓」的主墓的時候了。

揭開了「六號墓」的墓室之後，一座精心建造起來的地宮便豁然展現在人們的面前！這座主墓果然非比尋常，整個墓室全是用條石砌成，條石又是以紅砂石爲主，少量青石。不論紅砂石還是青石，外表都密密麻麻十分精細地鑿有細紋形的柱狀圖案。東西兩壁各用了三排條石，每排爲十四根，齊齊整整向上疊砌，構成了一座堅固的拱形。各層條石的兩端都削出斜石，有的斜面上還鑿有凹槽，這種凹槽顯然起著榫卯的作用，以加固墓壁的強度。

整個地宮築造得固若金湯，而又氣勢奪人！

石門兩邊的石牆，因損壞嚴重，殘石已散落於泥土中。從墓門磚嚴重破碎和淩亂的跡象分析，盜墓者已多次光顧。地宮的石門洞開著，室內空無一物。

然而，令人振奮的是，在墓門外一公尺處的封土裡，發現了墓誌蓋上的一個拐角。把它和從一號墓出土的董氏的墓誌蓋相比照，結果，不大不小，不長不短，不厚不薄，嚴絲合縫，正好補上。

這一實物證明，這個一向被包家人認作主墓的大墳頭，確實正是包拯夫妻的原葬墓。遭到破壞之後，包公的棺骨就被包氏家族偷偷遷到了一號墓。因爲遷移時的驚慌，也可能因爲董氏棺木已朽，沒來得及或沒辦法隨同遷走，才造成後來的一號小墓成了「一棺兩銘」。也許是質地堅韌的楠木棺材，使得包公的遺骨大多留存至今，而董氏的遺骨，早就在自己的墓棺中就化成了泥土，總之，找遍了「六號墓」的地宮內外，也沒有發現一片殘骨。

包公夫妻原葬墓的最後確定，越發看出建造「疑塚」的重要。平地堆出那麼一座「疑塚」，就掩護了下面的包公的遷葬墓。包公的原葬墓屢被盜墓者穿穴而入，而包公卻在遷葬墓裡，安安靜靜地長眠了七百多年。

只是為了亂人耳目，才發生的這些重要的變故，連包氏家譜上也都沒有一點文字記載，竟害得包氏的後裔們全蒙在鼓裡，年年歲歲去為一穴空墓祭掃。

但是，不管怎樣說，包公墓之謎到底解開。剩下的，就只有請有關專家把從包公墓棺中收集到的遺骨，做一科學鑑定，搞清是包公的，還是包公與董氏二人的。如果時間允許，那就一鼓作氣把其他墳墓也都清理一下，估計還會有新的發現。但又似乎可以肯定，剩下的都不會是太重要的墳塋了。至少，不會再有奇跡發生了。

對遺骨進行鑑定的任務，很自然地落在了專搞舊石器研究的方篤生的身上。本來這事在方篤生看來並不難，因為他過去在中科院古脊椎動物與古人類研究所學習過半年，裡面的專家學者大都熟悉，可是，眼下正鬧著「文化大革命」，這一類的研究所是「反動權威」和「臭老九」的雲集之地，這幾年都發生了哪些變化，他不可能知道。所裡還有沒有熟人？這封信他應該寄給誰？他甚至懷疑，經過「橫掃一切」，那個「古脊椎動物與古人類研究所」還有沒有了，也都難說。

不管怎麼樣，都得試一試。方篤生挑選出部分最典型的遺骨，細心地裝入郵遞專用的木盒子。開始，他很想以自己的名義把信寫給著名的古人類專家吳汝康，等到把「吳汝康」三個字寫出來後，他又改變了主意。他怕這事會給吳教授惹出不必要的麻煩。社會上在批

判清官，他請人家來鑑定包公的遺骨，沒事都會添出亂子來。

這麼一想，方篤生就乾脆公事公辦，對清理包公墓的事也隻字不提。他寫道：「古脊椎動物與古人類研究所：此骨一九七三年四月間出土於合肥市東郊大興集宋墓中，請鑑定是男性，還是女性？及其年齡。鑑定結果，請給正式鑑定書。」寫完，又看了一遍，覺得希望鑑定的內容以及要求都提到了，只是考慮到此次吳興漢是頭頭，爲愼重起見，他還是把老吳和自己的名字都寫了上去。

他把這包裹郵給了中國科學院業務處。他以爲即便有回音，也需要很長時間，沒想到只隔了一個月，對方不僅寄來正式的鑑定書，遺骨也「完璧歸趙」，盡數郵了回來。

鑑定書寫在一張中國古生物學會的公文紙上，流利的鋼筆字寫出了三點鑑定意見：

1. 頭骨片：額骨片附連頂骨前囟部殘片，骨片很厚，額骨中心部位厚度十一點二公釐，頂骨前囟點附近爲七點八公釐。這個數字與北京猿人五號頭骨接近；冠狀縫內外面均全部癒合，矢狀縫僅看到前囟點附近一小段，亦全部癒合。

2. 肱骨：左肱骨幹一段，肱骨比較粗壯，三角肌粗隆比較發達。肱骨幹中部最大徑爲

十七點二公釐，最小徑爲十五點六公釐。

3.年齡性別：根據頭骨比一般人厚得多、肱骨幹比較粗壯和三角肌粗隆比較發達，具有男性骨骼的特徵；從矢狀縫和冠狀縫全部癒合判斷，年齡應在五十歲以上。

由於材料過分殘缺，以上鑑定僅供參考。

鑑定書的下端，簽有「四室韓康信」字樣，日期爲：一九七三年七月三十日。鑑定的結果，沒出方篤生所料。鑑定的結果進一步證實：這正是包公的遺骨！

12 六座無名墓

爲了便於包家另行安葬，也是出於一種尊重吧，發掘清理工作一開始，合鋼二廠就批來木材，做了許多長五十公分，高和寬各三十公分的小棺匣子。凡是可以確定下來的死者，其遺骨都分別裝進那些匣子裡；無遺骨的，只能抓上兩把墓土。爲防止相互混淆，程如峰還在那些匣蓋子上用毛筆工工整整地寫上姓名。

六座無名墓裡的屍骨幾乎都腐爛得難以辨認了。因爲沒有墓誌一類的文字留下來，家譜上又無記載，難以確認他（她）們的名字。程如峰只得在那些小木匣子上，姑且寫上「無名氏」，連男女姓別也一概省略了。

六座無名墓的規模都比較小，墓室的結構也顯得簡單，除二號無名墓是石室墓，其餘的都是土坑墓。隨葬器物除三號無名墓較爲豐富外，其餘各墓，有的只出一件，有的幾乎一無所有。

六座無名墓的棺蓋及棺壁，無一例外全都腐爛不堪了。隨葬器物較豐富的二號無名墓，不僅出土了瓷碗、瓷盒、銀盒，還出土了水晶珠和銀飾。瓷碗是一種「包銀口黑釉瓷碗」，口部包銀的銀邊寬有一公分多，是一種大敞口、矮圓足的喇叭形。器內外滿施黑釉，釉色光亮，胎白且厚，燒製得相當精美而又堅實。瓷盒是包銀影青蓮瓣形那樣，出土時蓋部銀皮已大多剝落，但底部的銀層仍很全；瓷盒內外一色的光潤的青白釉，在陽光下依然瑰麗耀目。

這些都是典型的宋代文物。出土東西比較多的二號無名墓，在整個包氏的墓群中並不扎眼，它的墓室並沒遭到侵擾。其餘各墓出土最多的就是銅錢了。從「開元通寶」到「皇宋通寶」，從「至和元寶」到「治平元寶」，以及「熙寧元寶」、「元豐通寶」。有的是幾枚，有的是幾十枚，最多的也不過上百枚不等。大都鏽跡斑斑，有的已經殘破，經鑑定全是北宋時期的東西。

程如峰作了一次較認眞地梳理和分析，他認爲，包公家族的墓群，在這之前不僅出土了包公的遺骨及墓誌，還出土了包夫人董氏、長媳崔氏、次子包綬、次媳文氏、長孫包永年，計六合墓誌，八千餘字。這些珍貴的文字，分別記載了包公前後七代人的任職、政績、婚嫁、喪葬等重要情況，幾乎是《宋史》中〈包拯傳〉有關文字的二百倍。特別是包

公墓誌那洋洋灑灑的三千多字，更可稱是所有包公傳的鼻祖。

這無疑是包公辭世後九百多年唯一被發現，最全面、最豐富，也是最重要的文獻資料，從而開創了包公文化的新紀元。

從已經可以確認下來的東西看，這一家族的墓地，應該是以北宋時安葬包公開始的。宋仁宗嘉祐八年（一〇六三年）安葬包拯，接著於宋神宗熙寧元年（一〇六八年）葬董氏，宋哲宗紹聖二年（一〇九五年）葬崔氏，宋徽宗崇寧二年（一一〇三年）葬文氏，宋徽宗政和六年（一一一六年）葬包綬，最後於宋徽宗宣和二年（一一二〇年）葬包永年爲止；時間跨度爲五十七年。這些都是有墓誌可考的。

從已掌握到的包氏的家譜上可以知道，南宋時期包氏家族的內部就訂立了一個公約，任何人不得在包公的墓園裡安葬。從清理的現場看，也證實了歷史上的這個公約，包公家族的墓群是在北宋末年就已經定型。

六合墓誌銘糾正了世代相傳的包氏家譜上的一個錯誤，從包拯一代起，六代人配偶的姓氏，除崔氏而外，家譜無一正確。當然，崔氏因爲享受到了與包拯同樣的禮遇，並被寫進了《宋史》，有史可鑑，是不會鬧出笑話的。但除去崔氏而外其餘配偶的錯亂，幾乎到了不可思議的程度。當時雖有譜牒流行，不過多是手抄形式，數量有限，極易散失；刻有包

拯前三代後三代世系的「包公神道碑」，又被毀，以後撰譜者多憑記憶傳說，就難免張冠李戴，以訛傳訛了。

這樣分析下來，那六座無名墓，埋葬的就多半是包氏家族中的女性。正因爲當年沒有留下墓誌，後來的撰譜者憑口傳拼湊起來的世系女性的姓名，便無從考證。

當然，根據已經出土的文字資料，再結合宋代的喪葬制度，對這六座無名氏墓葬的位置以及它們墓室的情況做以梳理，弄清這些無名氏墓，也並不是一件困難的事情。

有兩座無名氏墓緊挨著包永年墓，而且兩墓有兩個墓坑卻又是和包永年共有一個墳頭，這顯然是在說明無名氏與包永年之間特殊的關係。從包永年的墓誌上得知，包永年生前曾先後娶過三個妻子，第一個妻子是官至五品朝儀大夫李庭玉的女兒李氏，第二個妻子是七品知縣成杭的女兒成氏，第三個妻子則是普通人家的林氏，三個女人都死在他之前。其中李氏的門第最高，家境最好，那個有石槨而無墓誌石的墳塋，應是李氏墓無疑；緊挨著的那個土坑木棺墓，隨葬品裡有包銀黑瓷碗、包銀蓮瓣形瓷盒，甚至還有著水晶珠、銀飾和有上百枚銅錢，說明娘家是有著一定的經濟實力，就極有可能是成氏墓。

包綬夫妻合葬墓的東側，有一座土坑木棺墓。從已腐朽的骨骸上尚可判斷是座女墓。基本上可以認定它是張氏墓。因爲包綬墓誌銘上說，他第一個妻子是包拯的門生、任過廬

州知州的張田的女兒張氏，張氏病死後才娶了宰相文彥博的女兒文氏。張氏和文氏都死在包綬的前面。包綬死後，他與妻子的合葬墓，顯然是由後人安排的。按照封建禮教，後人只會把包綬和宰相的千金合葬在一起，而將知州的女兒葬於別處。

但是，再仔細一觀察，不對頭了，這單葬的女墓雖臨近包綬墓，卻是在崔氏墓的上方。包綬墓誌說包綬是嫂子養大的，包綬敬重崔氏如同自己的生母，他怎麼會允許把自己的妻子張氏葬在嫂嫂崔氏的上面呢？所以，不可能是張氏墓。

那又該是誰的墓呢？

這使人一下想到曾在包公身邊生活過的那個媵女！

包綬原是由包公遣回娘家的媵女所生，後來才被崔氏抱回家撫養成人。「媵」的社會地位在當時是比妾還要低一等的。萬人景仰、鐵面無私的包公還會有媵，在今天看來，已變得很難讓人理解。其實，在中國漫長的封建社會裡，有錢有勢者，尤其是官宦人家，一夫多妻、妻妾成群的事，實在不值得大驚小怪。在包綬的妻子文氏的墓誌裡，就有讚揚文氏這方面的話：「蓄妾媵正有仁。」文氏貴爲當朝宰相之後，可謂心高氣傲的千金，嫁於包綬雖爲正妻，卻能夠正確和善地對待丈夫的小老婆以及周圍的女傭人。包綬不過是一介縣令，尚蓄「妾媵」，包拯乃國家領導成員，有妾有媵，根本談不上有損誰的形象。

問題是，包拯爲什麼要把一個身懷六甲的媵女「出」回娘家呢？

墓誌上用了一個「出」字。「出」是古代婦女被趕出家門、斷絕關係的意思。被「出」的婦女，一般是會背上一輩子惡名，抬不起頭做人的。封建法典裡有「七出之條」，具體是：無子、淫佚、不孝、口舌、盜竊、妒忌、惡疾。一個女人只要犯了其中一條，都是可以藉口把她「出」掉的。

孫氏是犯了哪一條被趕走的，除第一和第三條外，其他五條的可能性都有。這樣，崔氏抱養了孫氏的兒子，又不能不礙於包公和董氏的情面，不便對孫氏作公開的同情；直到十年之後，公婆雙亡，包綬也長大了，崔氏才派人找到孫氏，並把她接到合肥，讓包綬母子團聚。孫氏去世，若按包公生前的意願，是不宜將她和包公墓埋在同一個墓地的，更不可能留下墓誌銘。可她又畢竟是包綬的生身母親，不能不把她葬在這裡。要葬，也應該葬在比兄嫂的位置略高的地方，這也是完全合乎世道人情的。

由此推定，這一座看似普通的土坑木棺女墓，就是爲包氏家族得以世代繁衍做出過最大貢獻，卻又被包氏後裔給徹底遺忘了的孫氏之墓！

離主墓最遠，在墓園的位置最卑下的地方，還有一排三個墳頭。它們大小相當，排列有序，各墓之間距離大約六公尺；由於埋葬得過於簡單，各墓的棺骨僅存痕跡或碎片；除

其中的一棺有一件典型的宋代普通陶罐外，另兩棺均無任何遺物。

從這些跡象推測，東頭的那座是包綬的長子包康年墓，中間是包綬的三子包彭年墓。因爲包永年墓誌記載，他入葬時兒子包完還是幼童，喪事是包綬的次子包耆年和包綬的四子包景年合辦的。隨後包耆年去世，西頭埋的只能是包耆年。

偷偷把包公棺骨連同兩合墓誌石埋入這三座墳塋附近的那個被今天稱爲「一號墓」的小墓中去的，多半是包景年和姪兒包完。也應該是他們在與包綬相對應的空地上，堆出那一座假墓，以假亂眞，進一步掩護包公的棺骨。然後，包景年和包完極有可能與包公女婿文效的兒孫一道，爲避禍亂逃出廬城，回到距城七十華里的包公故里，形成了現在人丁興旺的肥東縣文集和大小包村。又因爲包景年、包完、文效後來都死在農村，葬在農村，包公墓地從此定型，便不再有包公的後裔安葬於此。

不過，也有疑問。因爲這樣算下來，包綬的前妻張氏，和包永年的後妻林氏，兩人的墓葬下落不明。

有一天，程如峰向包公三十三代孫包義旭提起這件事，老人指著墓地西南邊的一大片稻田說道：「那裡原有幾座老墳，農業學大寨搞農田基本建設時，全給平掉了。其中還有

個王朝墓呢。包公去世後，一直跟隨包公的張龍、趙虎、馬漢，都流落江湖了，只有王朝一人死活不肯走，他不僅護送著包公的靈柩回到合肥，爲了照顧包公的一家老小，從此他還留在了包家，直到生病去世。因爲王朝對包公的一片忠心，他與包家的那種特殊關係，包公子孫也就把他看作了包家人，死後自然就葬在了包公墓園。從前我們每年清明節上墳，也都要給他培一鍬土，插一根『紙標』，像對自己的祖先一樣地祭拜他。」

包義旭指指點點說給程如峰聽，但那些地方早已改爲水田，確實沒有了墳包。至於王朝其人，程如峰原只當是文學作品中的人物，史書上、墓誌上並無記載，但他還是被包義旭講的這個故事深深打動。

這倒使程如峰想起了「包公鍘包勉」的故事來。

那故事流傳得很廣，還產生出一出著名的京劇。劇中包公怒斥其姪包勉，有兩句唱詞幾乎家喻戶曉：「罵一聲小包勉膽大的畜生，初爲官你竟敢不清不正，貪贓銀受賄賂苦害黎民！」

但是，在整個包公墓群的發掘清理中，查遍了包氏三代墓誌銘，壓根兒就找不出一個叫包勉的人。有史可考的是：包公祖孫三代都是克己奉公、廉潔守法，深受老百姓愛戴的清官。

13 守護包公墓的傳人

從包公墓動土那天起，圍觀的人就沒有間斷過。在人山人海的圍觀者中，有一位極不起眼的老人。每天，他農活一幹完，就會出現在清理的現場，風雨無阻。常常是大家已陸續散去，他依然還站在鐵絲網外邊，不急不躁，不言不語，又很有興趣。

這一天，主墓發掘結束，清理工作也已經收尾，發掘清理的隊伍正準備從黃泥坎撤走，他突然說了一句奇怪的話。

「這墓是假的。」他說。

他說得不緊不慢，卻十分認眞，絲毫沒有一絲玩笑的成分。

他的口氣是十分肯定的：「包公是單獨安葬的，他的墓還在上頭呢。」

程如峰這時正站在離他不遠的地方，聽了老人的這番話，不免丈二和尚摸不著頭腦。

「這怎麼可能？」程如峰想，黃泥坎地面上的所有墳頭，都被清理得一乾二淨，連「無名氏」

的都一一「解決」了。老人說的「上頭」，那裡不是水田就是公路，並無隆出的土丘。

程如峰認眞打量眼前的老人，他發現，這是個年逾古稀之人，在他的臉上，寫滿了人世滄桑；一雙皴裂的手，足見他的一生是多麼辛勞。

但是，老人說罷那句話後，並不囉嗦，轉身就要離去。

老人的這種肯定，引起了程如峰的注意。胡適有句著名的話，就是：「做學問要在不疑之處有疑，待人要在有疑處不疑。」他喊住老人：「請問貴姓？」

老人倒是爽快：「我叫夏廣宏。」他往不遠的村子一指，「就住在附近。」

「你怎麼可以肯定這座主墓，不是包公墓？」

「信不信由你們。」老人說罷，便管自離開。

第二天，程如峰和吳興漢一道，在大興公社雙圩大隊夏大郢東村，找到了夏廣宏老人。這眞是天上落下一根線，正好掉進了針眼裡。原來他們尋訪的這個夏廣宏，他的祖先世世代代都是耕種包公墓田，看護包公墓的。

聽老人介紹，解放以後，特別是人民公社化以後，包公的墓地不斷受到蠶食。他急得貓抓心似的，但又想不出別的辦法。合鋼二廠一興建，這一片發生的變化就更大。夏廣宏說：「二鋼一建，周圍的農民就『三改』了，土牆改磚牆，草屋改瓦屋，燒草改燒煤了；

但包公墓園也就隨著二廠的擴建，徹徹底底消失了。」

他說，「文化大革命」開展以後，包公墓地受到了一次更大的破壞。背地裡他流了好幾次淚，痛苦得幾宿睡不著覺，卻又無能爲力。今年春上，聽說包公墓群整個兒要遷走，這使他如聞晴天霹靂。一家人世世代代就是這樣守護著包公墓過來的，要把包公墓田遷走，他心裡怎麼也接受不了。因此，打從清理的隊伍開進黃泥坎，他就變得丟三落四，說是在田裡忙活，心卻飛到了清理現場，一天不到坎上轉上一轉，人就像丟了魂似的。後來他終於看出，來清理的這些人，都還不錯，並不是來破壞的，對包公的墓群沒有惡意，工作認眞，言談舉止對包公充滿著崇敬。

主墓清理結束了，眼看大家拿腿要走人了，夏廣宏老人這時才覺得有句話不說，就像一根魚刺鯁在喉管裡，一輩子都會不好過。

他對程如峰和吳興漢回憶道：「我自小就聽說，眞的包公墓不是坎上那座最大的墳頭，而是埋在了一塊油菜田的田埂底下。雖然那兒以後再沒種過油菜，我卻牢牢地記住了它。」

程如峰忙問：「現在那塊田還在嗎？」

夏廣宏果斷地說：「就在公路下面。」

吳興漢疑惑地起身向窗外望去，程如峰也不禁打起了眉結。夏廣宏看出二人的疑慮，便帶著他們出了門。他竭力地回憶著，然後，走到公路的一處，肯定地說：「就在這段公路的下面！」

爲了要他們相信，夏廣宏又用不容置疑的口吻說：「是這兒，不會錯。」

要切斷公路，絕不是一件小事，但是老人堅定的態度，又讓程、吳二人不能不信。二人回到工地後，請探墓高手陳廷獻使出看家本領，先用「洛陽鏟」在夏廣宏老人圈定的範圍，縱橫交叉地打出「十」字形的兩排探孔。爲保險起見，陳廷獻又上下左右地補了幾眼探孔。

結果出來了：夏廣宏老人沒有說錯，公路的下面確有一個石造的地宮。其規模遠比坎上的「主墓」還要大。夏廣宏老人十分高興，大家也都驚喜不已。已經準備回市局的公安民警張西覺，這下又有了用武之地。要從中切斷人家的公路，免不了有許多麻煩事，也只有張西覺出面才合適。這時，合鋼二廠基建處的張國麟和王占魁也忙碌起來，他們領著一幫民工，在需要挖開的公路旁邊，連夜搶修出一條便道作暫時通車之用。

一九七三年七月三日，這座被編爲「八號墓」的墳塋，正式開工清理。

「八號墓」挖進公路四點一六公尺的深處時，地宮的遺跡便初露端倪。這確實是墓群

中最大的一座。墓門朝南，與原先認定的那座「主墓」，正好坐落在同一條中軸線上，南北長四點八公尺，東西寬五公尺，橫寬縱短，幾近正方形。掘開以後，認眞丈量了一下，其總的面積約爲二十四平方公尺。因爲早期已被盜，封土堆蕩然無存，墓室上方的地平面又作爲公路使用，墓室的高度便不甚明瞭。

總之，從墓室上部，直至墓底，在東西長六公尺、南北寬五公尺的範圍內，大面積的塡土十分混雜，顯然是盜掘時所擾亂。塡土內找出朽木六段，周邊爲圓形，沒經加工，推測這些木頭可能是盜墓者棄置的盜墓工具。在塡土中還發現了大量塊狀的灰白土，以及零碎的磚石，而石塊與磚塊的質料又是和墓底出土的磚石十分相似的，這說明當初的盜墓者是用大揭頂的方式，明火執仗公開破壞的，絕非一般小偷小摸！

整個墓底居然沒發現一塊鋪地的磚石，由此看出，那次盜墓的目的不僅僅是獲得包公墓中的文物，更多的是一種發洩，而且，顯得窮兇極惡！

清理的工作是十分仔細的。爲了不讓任何一點有價值的東西被遺漏過去，下墓室的同志動作都是格外小心的，因此，進度明顯慢了下來。

一天天過去，幾乎一無所獲。

這天，程如峰和吳興漢一大早就來到市政府廣場，像往常一樣，趕上開往東郊大興集

最早的一班公共汽車。車還未到終點站，就發現合鋼二廠的張國麟站在站牌底下，急猴猴地朝汽車張望，車一開近，他便喜形於色地說：「有東西啦！」

二人忙問：「挖出了什麼？」

張國麟激動地又是說，又是比畫，可二人卻越聽越糊塗。不過他們還是明白終於挖到有價值的東西了，好像是塊雕成人模樣的木頭。跟著張國麟，他們一路小跑趕往現場。原來墓底已經清理出來了，雖然沒發現棺木及人骨的跡象，卻在墓室的西北角，下距墓底也只有三十公分的被擾亂的填土中，發現了一件「雕成人模樣的木頭」。

這是件木雕男俑。高三十四點五公分，頭部戴著冠狀帽，帽的正面刻有一個清晰的「王」字，帽頂部平坦，正中有一圓形仔小洞；身穿方領長袍，腰束寬帶，雙手安詳地疊放在胸前，作持物狀，手中鑿有一圓孔。整個形態，道貌岸然。

這木雕男俑說明了什麼呢？

後來還是程如峰從《宋史》的《禮志》中破譯了

▲木俑

個中秘密。據《禮志》記載，大臣墓內置有「當壙、當野、祖思、祖明、地軸、十二時神、誌石、券石、鐵券」等隨葬品。這是一種極高的榮譽。八號墓出土的這件男俑，便是「十二時神」之一。十二時神是用以報時的。按照中華民族特有的十二生肖：鼠、牛、虎、兔、龍、蛇、馬、羊、猴、雞、犬、豬，分別代表一個具體的時辰，那個木俑手中的圓孔就是用來固定這些生肖塑像的。

這麼看來，「八號墓」墓室中原先就應該有十二件同樣的木雕男俑，被掘墓者盜走了其中的十一件，而這一件顯然是僥倖地遺留在了填土之中。

於是，墓主的身分便被進一步證實了：只有官至二品的包拯，才可能享有「十二時神」陪葬的殊榮！

這種結論，不久又得到另外的證實。在墓室南端的正中處，發現了一個用方形的磚砌出的檯子。磚檯的底部爲原始生土，夯實後鋪上了厚厚的石灰層，上砌磚檯，十分堅固。毫無疑問這是置放墓誌銘的磚檯。原來一號墓出土的包公墓誌，就是從這兒遷移過去的！

整座墓遭到破壞的程度，與包公墓誌石被破壞的程度，完全相符。這一點又是可以互相印證的。再從整個墓群各坑位分佈的情況看，這座墓雖被埋入公路，但它依然是坐落在黃泥坎的高處，有著高屋建瓴之勢。其規模之大，構造之精，無不顯示出墓主人的崇高的

▲衆人合力拉出包公墓誌。

身分。

程如峰於是再次研究董氏墓誌。雖然已經研究很多遍了，但他相信，人們的許多判斷，常常是會被思維的定勢牽著鼻子走的。開始發現一號墓裡有兩合墓誌銘時，大家便不約而同地以爲那可能就是包公夫婦的合葬墓，雖然地處偏僻、隱蔽，或許是爲了更好地保護。當打開六號墓，找出了董氏墓誌石缺損的一角後，發現墓室很大，就又判斷它肯定就是包公夫婦的原葬墓。現在重讀董氏墓誌，雖然還是那麼一句「櫬於尙書之塋」，方才意識到它的另外一種解釋。

本來，「櫬於尙書之塋」六個字，已經說得很清楚，但最初大家只是把「櫬於」理解爲「陪伴」了。既然是「陪伴」，那肯定是夫妻的合葬；現在再琢磨，這「櫬於」分明就是「陪櫬」的意思。「陪櫬」便不可能是一塋合葬，而只應是二塋鄰葬。事實正是，這兩座大墓緊緊相依，且坐落在同一條中軸線上，看上去有些相似，實際卻是一大一小、一上一下，這樣也更符合當時男尊女卑的世風習俗。

這才是眞正的包公墓！

這座墳塋，既無文字資料可考，更無地面痕跡可尋，近千年來，守護墓田人，卻憑藉著代代口傳，將它的位置準確無誤地銘記至今。爲避免再次遭到洗劫，這條信息居然對包公後裔也進行了「封鎖」，實在令人驚異！

假如夏廣宏老人在這之前仙逝，那麼，眞正的包公墓勢必將成爲人世間一個誰也無法破譯的千古之謎！

假如，合鋼二廠不是在此處建石灰窯，不是包公墓群必須遷移，這項清理工作不曾發生，那麼，包公的後世子孫，千秋萬代都會把董氏的墳頭當作包公墓繼續掃祭！

假如，董氏墓誌不出土，董氏的墓室不大白於天下，那麼，生前與包公相依爲命的這位「誥命夫人」，會因爲史書方志上無文字可考，包氏家譜上的張冠李戴，而永遠沉冤於地下，無法被世人知曉！

假如，不是包公墓群的六合墓誌同時出土，假如，我們輕信了史志和家譜，那麼，包公前三代、後三代計六代人中，除崔氏一人而外，他們的所有的配偶，將無一倖免地成爲塵封地下的歷史秘密！

假如，是的，假如不是包公墓、董氏墓和崔氏墓三合墓誌銘的相繼出土，那麼，人們將永遠永遠也不可能知道，爲包氏家族延續香火，以致人丁旺盛，這其中多虧了包公身邊

的一個孫姓女子，和被宋史及家譜都搞錯了名字的包公的次子包綬！
假如，沒有這場「無產階級文化大革命」，假如這一切都沒有發生，那麼，通過清理發掘才知道的發生在包公家族中的那許許多多的故事，我們將永遠不得而知；包公的遺骨，也將可能隨著時間的更迭，和常人一樣，最後化為泥土，不可能再見天日！
歷史的眞相被保存下來，有時實在是十分偶然的。與之有關的任何一節鏈條，哪怕看上去完全是微不足道的，一旦斷裂，就會連最重要的東西也盡數失去。然而，往往就在那些被看似最脆弱的鏈條行將斷裂之時，冥冥之中就會有一股強大的力量，讓一個奇跡猝然而至。

夏廣宏老人的出現，無論如何是個奇跡。
在程如峰一九七三年六月二十六日的日記上，記下了對夏廣宏老人最初的印象：他生於一九〇〇年，當時七十三歲。他曾幹過十多年的石匠活，還是一位經驗豐富的老石工；他能如數家珍地向你道出那些地宮以及出土的墓誌石都採自何處。他說包公地宮的石料，是從包公老家肥東縣小包村的東大山上開採的；董氏地宮用的是紅糙石，那是在合肥西門外的九里溝就地取材的；幾合墓誌的石料全來自巢湖邊上的廬江縣金牛鋪，只有那裡的大

青石紋理細，綿性強，宜於刻字雕花。他提供的這些口頭資料，和後來對石料產地的確定，都對包公墓的研究起了非常重要的作用。

據夏廣宏老人回憶，大興集黃泥坎這一帶，土名曾叫「汪家圩」，最早就叫「夏家崗」。原先，他們夏家並不耕種包公墓田，他的岳父才是看護包公墓的傳人。岳父姓鄧，只生一女，鄧女嫁給他之後，看護包公墓的事兒，便也落到了他的身上。

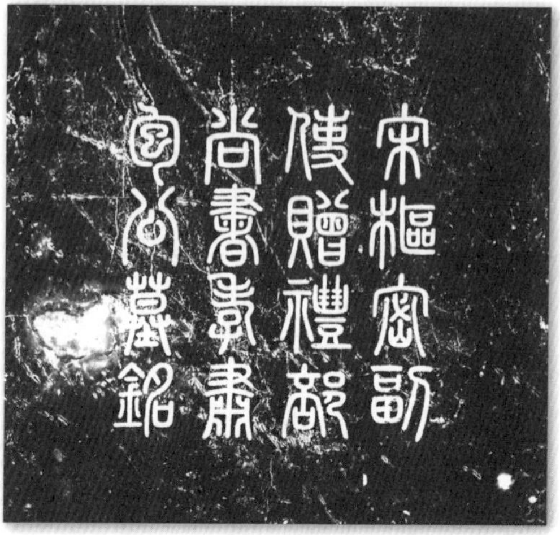

▲包公墓誌蓋（正方形，長 1.23 公尺，寬 1.22 公尺，厚 0.13 公尺）。上書：宋樞密副使贈禮部尚書孝肅包公墓銘。

夏廣宏說，鄧家守護包公墓是世代相傳。傳到他這一代時，真正的包公墓早就沒有了墳頭。這個秘密也就成了只有耕種包公墓田的守護人才能知道。

夏廣宏老人的這句話，引起了程如峰的格外注意。他於是聯想起南宋慶元五年（一一九九年）包公誕生二百週年時，淮西路安撫使王補之重修包公墓時，林至寫的那篇〈重修孝肅包公墓記〉，裡面就曾說到那次重

修時除加高了墳頭，還特地砌了圍牆。於是，就根據林至的文字資料，和夏廣宏老人提供的線索，清理小組又對包公墓群的周圍，試探性地進行了一次挖掘，居然就在包公墓與董氏墓之間挖出了宋磚砌出的一段牆墓！

這段牆墓，解開了又一個謎，這就是說：早在七百一十四年之前的南宋慶元年間，眞正的包公墓就已經被圈出了「包公墓群」之外，就已經把董氏墓當作包公墓加以整修了。

可是，慶元年間又何以會幹出這等荒唐事呢？

認眞研究在林至撰寫的那篇〈重修孝肅包公墓記〉，還是能夠找出答案的。那裡面說，「中更兵火，子孫流離」，包公墓「封丘荒頽，穿木剪拔」，「碣墓記藏」，以致聞者「爲之惻然」。

不難想像，在林至的眼裡，一場戰亂，包氏子孫四處逃難，墳塋狼藉一片，包公的棺骨及墓誌銘均不知去向。既然「封丘荒頽」，地面上的墳包已經受到極其嚴重的損壞，在那樣一種情況下，把董氏墓當作主墓重修，將包公墓圈出了包公墓園，也就不奇怪了；再說，偷偷遷葬包公棺骨和移走墓誌銘的包氏後人，因爲心有餘悸，或是從保護好包公墓著想，明知官方錯修，也不願吐露半點眞情，這些同樣是可以理解的事情。

問題是，如此重要的秘密，包氏子孫後來爲什麼會一點不知情？

爲搞清這一謎團，程如峰又通過丁寧的幫助，一頭鑽進了安徽省圖書館古籍部，他要在那些塵封多年的各種歷史的文獻中，去解開這一謎團。

他終於注意到，從包公入葬，到宋寧宗慶元五年，這中間的一百三十六年，合肥就蒙受了三次金兵的侵擾。最大的一次兵火，當數「靖康之變」，金兵大舉南下。《契丹國志》提到金兵滅遼時，就曾對上京乾川、顯川等地的遼代陵墓大肆發掘，盜取金銀珠寶無數，所有神殿燒毀殆盡。《歷代帝王宅享記》和《歷代陵寢考》中，也有金兵破壞北宋帝王陵墓的記錄。從包公墓厚重的墓誌被碎成數塊，地宮竟遭「大揭底」的破壞，這絕非一般以經濟爲目的的盜墓者所爲，多半是金兵。

金兵三次佔領合肥的時間分別是：建炎三年（一一二九年）、紹興十一年（一一四一年）和紹興三十一年（一一六一年）。建炎三年十一月，金兀朮攻陷合肥，不久渡江南下，次年九月敗回，宋兵收復合肥；紹興十一年元月，金兀朮再陷合肥，攻至合肥城東百餘里的柘皋，後被宋將劉錡、楊沂中所敗，二月退出合肥；紹興三十一年十月底，金主亮再克合肥，進至長江，在采石磯戰敗，退至揚州，後被部下所殺，這年年底，合肥復歸於宋。

金兵佔領合肥時間最長的是第一次，達十個月之久，攻勢最猛，行徑也最殘暴，破壞包公墓的可能性最大。後兩次侵擾的時間都不長，但金兵都是被宋大敗之後的捲土重來，

報復性的滋擾與破壞，其殘暴與兇猛，甚至會比第一次有過之而無不及。三十二年中間，金兵拉鋸似的三次出入合肥，作為宋朝重臣的包公之後，完全可以想像，他們是度日如年，躲之惟恐不及，誰還敢把包公墓中的秘密吐露半句，天長日久，隨後的子孫們不再知情，也是符合情理的事情。

至於〈重修孝肅包公墓記〉裡為什麼沒有明確寫出包公墓的破壞者，程如峰認為，這個答案也只有從當時的歷史背景中去找。包公去世後的六十六年之後，北宋壽終正寢，雖其後出現了南宋，但就整個國力而言，已無法與北宋同日而語。尤其是南宋與金自「壬戌之盟」後，兩國以淮河為界，宋已對金稱臣，每年宋廷都得給金國進貢白銀二十五萬兩、絹二十五萬匹。合肥距國境線淮河不過二三百華里，史稱「邊城之地」，作為南宋官員的林至，即使受西路安撫使王補之所託，撰寫〈重修孝肅包公墓記〉，又怎敢觸犯太上皇的尊嚴，指名道姓，署文勒石，直指金兵，以招來殺身滅族的大禍？

程如峰這些推測，很有道理，可惜沒有更具體的史料可以佐證。而在那兵荒馬亂的年代，遲到的盜墓者在一無所獲之後，惱羞成怒因而實施毀滅性破壞的可能，也不能絕對排除。有時，歷史也只能留給歷史了。

14 河南也有個包公墓

一切清理工作，終於在一九七三年八月底結束了。

從四月到八月，從春到夏，直到秋，大夥早出晚歸，在大興集的黃泥坎整整忙活了一百五十多天。辛苦是夠辛苦的，但打點一下取得的成果，心裡面還是樂滋滋的。

回頭看看發掘清理的現場吧：

一個墳頭、一個墓室、兩具棺骨，那是包綬夫婦的合葬墓；

一個墳頭、兩個石槨、兩具棺骨，那是包繶夫婦的合葬墓；

一個墳頭、一個石槨、一具棺骨的，那是董氏的墓；

一個墳頭、一個墓室、一具棺骨卻有著兩合墓誌銘的，那是包公和董氏的遷葬墓；

只有一個石槨，已經被埋在公路下面既沒有墳頭也沒有棺骨的，那是眞正的包公墓。

除此而外，還有六座「無名墓」，以及只有墳頭而既無墓室又無棺骨的「疑塚」假墓。

清理完了包公墓群，也就把深埋在地下的有關包公一家人的千古之謎，一個個地解開了。

但是，且慢，就在程如峰、吳興漢也都認爲這活兒幹得「盡善盡美」的時候，安徽師範大學歷史系教授陳懷荃，卻心事重重地從江城蕪湖趕到合肥，來到了大興集的黃泥坎現場。

他首先肯定包公墓誌銘的出土，是中國近年來考古事業上的一項重大發現；而一次性地把一位著名的歷史人物的家族墓群一個不剩地發掘出來，這在世界的考古界也屬罕見。

「不過，」他的話鋒一轉，「開封你們去過嗎？」

程如峰不大清楚對方問話的意思，他搖了搖頭。

陳懷荃說：「開封也有個包公墓。」

這意外的一句話，讓程如峰一怔。在這之前，他從沒聽誰這樣提過，但是陳教授說得言之鑿鑿，又叫他不能不信。

「你們最好也去看看，到底是怎麼回事。」陳懷荃自己也希望搞明白。

程如峰當即向吳興漢彙報了這個新情況，吳興漢聽了也感到意外。

河南省的開封市，北宋時曾一度作爲京城。包公擔任開封知府時，執法如山的故事是

▲河南開封的包公祠

家喻戶曉的，「包青大」的形象也是在開封樹立起來的。但開封也有個包公墓這事，程如峰和吳興漢卻是第一次聽說。

如果陳教授的話是放在發掘清理工作之前，他們或許能夠相信，因爲包公生在合肥，不一定就葬在合肥，再說合肥也早有「包公墓是假的」的傳聞。等他們親手挖掘了包公墓，還叫他們怎麼相信別的地方還有包公墓？

當然要去看個究竟。程如峰考慮現場的發掘工作雖然結束了，但吳興漢還有許多具體的案頭工作要做，開封也只能由他去，就說：「你忙你的，我們市文化局來的兩個同志跑一趟吧。」

於是就在吳興漢轉入室內，修補文物、繪製圖表、沖印照片、研究資料、撰寫發掘報告的時候，程如峰和汪冰盈踏上了西去的列車。

那時候，從合肥到開封的鐵路線還沒修通，他們得先趕到蚌埠，然後再轉乘上海去西安方向的火車。到了開封，兩人先找文化局，開封市文化局的文物幹部徐伯勇熱情接待了他們。

徐伯勇十分健談，也十分坦率，他不問當下的報紙電台是怎樣的貶損包公，他說開封人喜歡包公，非常崇拜包公，包公是開封人民的驕傲。

他領著程如峰和汪冰盈，興致勃勃地去看「包府坑」，介紹說那兒就是當年開封府衙門的所在地。他說，衙門外豎了一塊大石碑，上刻「開封府題名記」，把北宋期間每一位當過開封知府的人的姓名、官職、任職年月，都刻在上面，共一百八十三位。包拯的名字自然也在其中，他是第九十三位。從宋仁宗嘉祐二年三月幹到次年六月，總共一年零四個月。包拯雖只「坐堂」一年多的時間，卻名聲大振。由於人們非常愛戴他，凡看過「開封府題名記」的人，都要在上面尋找他的名字。猛的一下發現了，就激動地伸出指頭指指點點。指點的人多了，那石碑便有了一個很深很深的凹坑，竟把「包拯」二字磨得水光玉亮。

他說這塊珍貴的碑石至今完好地保存在開封市博物館裡。因爲他們來得不是時候，沒法看到，這使兩人都感到遺憾。

程如峰打問起開封包公墓的情況。徐伯勇卻驚訝得張大了嘴巴，說：「你們搞錯了

吧，開封沒有包公墓呀。」
一聽說開封沒有包公墓，程如峰反倒傻住了。
馬上，徐伯勇像想起什麼似的，又說：「鞏縣有一個北宋皇陵區，那兒倒是有座包公墓。」
「鞏縣在哪？」程如峰曾在史書上見到過這地名，別的，就都一無所知了。
徐伯勇說：「鞏縣就在鄭州與洛陽之間，不遠。」
徐伯勇還說：「河南省歷史研究所所長黃永清，研究包公比較早，曾發表過這方面的專門論文。他登在《開封師範學院學報》上的〈論包公〉一文，一九六四年我就讀過。爲研究包公，他沒少吃苦頭，運動中批他是『封建統治者的乏走狗』。可批歸批，研究照樣研究，他認爲『清官比貪官更壞』『更具欺騙性』的觀點純粹扯淡！」
程如峰聽說去鞏縣要經過河南省會鄭州市，決定去拜訪一下黃永清。
當程如峰找到河南省歷史研究所時，才知道黃永清已調到河南省圖書館，並負責那裡的工作。他在河南省圖書館找到了黃永清，但他畢竟是「不速之客」，黃永清並沒有把曾經給自己帶來過無窮麻煩的那篇論文交給這個一點不了解的陌生人。不過，他還是給程如峰提供了一條線索：

「你們不是準備去鞏縣了解包公墓麼？《河南府志》、《鞏縣志》均有記載，我們這裡就有，可以查到。」

程如峰完全理解黃永清的這種態度。他高興地翻開清代康熙二年（一六六三年）撰修的《河南府志》，發現在鞏縣部分記載著這樣一行字：龍圖學士包拯墓在縣西南孝義保。

再查看民國七年（一九一八年）重印乾隆年間修撰的《鞏縣志》，記載得就更爲詳細：《東都事略》載，拯相禮部侍郎、樞密副使，終於位，年六十四，贈禮部尚書，謚曰孝肅。《施府志》載，鞏西南後泉溝，有孝肅墓，亦陪葬眞宗陵也。

程如峰邊看邊尋思，不免有些意外驚喜。《河南府志》和《鞏縣志》，記載包公的身分和年齡，只有短短的一句，卻非常眞實，它與合肥大興集出土的包公墓誌完全相符。這表明鞏縣包公墓的歷史也是悠久的，不可等閒視之。

事又湊巧。正在說著北宋年間的事，有人就送來幾頁用塑膠袋裝著的圖書，說是貨眞價實的宋版書，是花了五百元人民幣買來的。程如峰吃了一驚，他自一九四九年二月從軍，參加革命二十四年了，月薪也只有六十六元；現在不過幾頁宋版書，就抵得上他大半年的工資，到底是什麼寶貝？這麼想著，就忍不住也湊上去觀看一番。

辦公室的人也都圍了過去，有人讚不絕口道：「值得，值得！」

黃永清十分小心地鑑賞著，對程如峰說：「我們這裡有幾十萬冊圖書，這幾頁要算圖書之祖啊！」

程如峰只能算是看熱鬧的人，他發現，收購來的這幾頁宋版書，紙張近似宣紙而有微光，每頁的騎縫處都清晰地留有抄寫者的姓名。由於並非出自一人之手，雖然都是楷書，字形卻相差很大，不像他見到過的那些宋版活字印刷體的橫輕直重。收購來的這頁書的內容也不連貫，好像既有《論語》，又有《大學》。

站在程如峰旁邊的一位對版本富有研究的中年人說：「『物勤工名』，是宋代手工製品的一大特點，它可以增強勞動者的責任感和榮譽感。這幾頁書有抄寫者姓名，正是宋版書的特徵之一。每頁書是一塊整版雕刻的，它表明在畢昇發明活字印刷之前，在慶曆、皇祐，即一〇四一至一〇五四年之前，也是在活字印刷沒有廣泛被使用時的印刷品。」

程如峰點頭稱是。

這段時間他沒少閱讀宋版書籍，談到這些年號與西曆之間的換算，以及畢昇發明活字印刷術這些發生在宋代的大事，他是太熟悉了。包公去世前，畢昇發明的活字印刷還沒問世，純粹由人抄寫的東西就難免不出現差錯，才設法把重要的經書，當然也包括墓誌，都刊刻在石頭上。也正因為這個原因，合肥出土的包公墓誌石，才越發顯得珍貴！

告別了黃永清，程如峰和汪冰盈就上路了。

事隔近三十年，我們坐在程如峰的書房裡，聽這位老人講述那次西行的感受，覺得很是奇怪，在河南的鞏縣，怎麼能看到窯洞呢？他是不是記錯了？過了幾天，我們也沿著程如峰和汪冰盈當年的路線去了一趟河南，此時，鞏縣雖然還是縣給建制，卻已改作了鞏義市。那天，車離開鄭州，進入鞏義的境內時，眼前的景象確實讓我們多少感到有點意外。滿眼是黃土高坡，在那些危嶺陡壑之間，不時閃現出在介紹陝北風光的電影裡才會看到的窯洞。

河南不是中原大地麼，怎麼成了「黃土高原」？我們打開地圖，才發現，鞏義就緊貼在了黃河邊上，原來它離陝西和山西都很近了。這是一塊名副其實的風水寶地。北宋時先後出了九個皇帝，除宋徽宗趙佶中途被金兵虜去，後來死於五國城（今吉林省扶餘縣），其餘的七個，全葬在那裡。建在那裡的皇陵就有：宋太祖趙匡胤的永昌陵、宋太宗趙炅的永熙陵、宋真宗趙恆的永定陵、宋仁宗趙禎的永昭陵、宋英宗趙曙的永厚陵、宋神宗趙頊的永裕陵和宋哲宗趙煦的永泰陵。趙弘殷沒做過皇帝，但他是開國太祖趙匡胤的父親，趙匡胤尊封他葬在這裡，再加上這座永安陵，就成了「七帝八陵」。此外，這些帝陵旁邊還分別

襯葬有他們的后妃、皇親、皇族和功臣們，大大小小，各種各樣的墳塋就有三百多座，浩浩蕩蕩，形成了一個龐大的陵墓群。陪葬的名臣勳將中，可查的就有趙普、高懷德、寇準、狄青、楊延昭……能夠陪葬皇陵，在那個時候是無上光榮的事，是最高的獎賞了。按當地人說，包拯就在這種陪葬者之中。

當年程如峰和汪冰盈去時，接待他們的是鞏縣文化局專業文物工作者傅永魁。傅永魁的辦公室裡，放了一張條桌和兩把椅子，還有一張床。桌子上、地上、床頭上全擺滿了陶器、瓷器、青銅器等出土文物。說是辦公室，其實又是他的工作室、臥室、修復間兼庫房。看得出，這是一個熱愛文物工作、只顧埋頭做事卻不講條件的人。

第二天，傅永魁就領著他倆去看包公墓。

鞏義的包公墓，位於城南的芝田陵區，坐落在一個典型的黃土高坡上。邊上，是一條大溝，溝很深，也很陡。一溝之隔的對面高坡，看上去與這邊只是一箭之地，要想過去卻很不容易，因爲你得順著這高高的溝沿走很遠的路。周圍的村莊，好像全建在溝沿上，因此地名也很有特色，就叫大南溝、小南溝、水泉溝……。

包公墓就在後泉溝高高的北嶺上。

包公墓呈扁圓形，他們當年去時，那上面被農民零亂地堆滿了玉米秸。墓碑像個爬滿

了皺紋的老人，憔悴地站在那兒。碑頭刻著雲紋浮雕，正中是「大清碑記」四個字；碑身是用楷書刻著的八個大字：「宋丞相孝肅包公墓」。碑背面的文字大多脫落，已無法辨認。

據傳永魁考證，這碑是清代康熙年間所立。

墓前就是耕地，左邊地裡的望柱、石虎、石羊，均在原地，未經移動；右邊只剩下了一只石虎，還被挪動了地方，與左邊的已明顯不對稱。

程如峰圍著墓轉了一圈，當他轉到墓的背後，順著墳的陡坎望上去，不禁心裡一沉。他發現包公墓的坎壁上出現了一個竹篩大的洞口，黑咕隆咚的大洞向墓內伸延著，深不可測。

這顯然是盜墓者留下的，盜後竟然不曾填實。

程如峰掏出了隨身帶著的相機，將看到的情景一一拍了下來。

他走訪附近的農民。接受採訪的是一位六十六歲的老

▲1985年5月15日，合肥重修包公墓時，程如峰去河南鞏縣考查包公墓，該墓在宋陵藍田陵區永定陵西北一公里處的後泉溝北嶺上，石碑為清康熙年間立，存有宋代望柱、石虎、石羊，墓後有盜洞。

人，叫張書章。張書章老人是生產隊的飼養員，牧養著五頭耕牛。談起包公墓上的那個盜洞，老人興致極高地擺開了「龍門陣」。

說來，也眞夠巧的，這位老人就是那次盜墓的參加者之一。

他說：那是一九四九年春上，國民黨軍隊南撤了，解放大軍還沒有開過來，這兒成了「幾不管」，社會秩序混亂，群眾生活困難，就想到墓裡挖點財寶救救急。

程如峰一聽來了勁，問老人：「挖包公墓你也在？」

老人說：「在。這一帶墳墓多，挖墓是平常事，家家戶戶住的多是窯洞，自古就有挖洞的本事。」

「包公墓被挖下去多深呢？」

「兩丈多深吧。」

程如峰有些吃驚：「你們不怕墓土塌下去，把你們埋了嗎？」

老人笑道：「咱們這裡土不塌。」他指著窗外說，「你看家家的窯洞不是都很安全嗎。」

「你們在裡面是不是發現了石頭？」程如峰突然問。

宋代的墓葬是有嚴格規定的，包公官至二品，已躋身「二府」，所以合肥大興集黃泥坎

清理出的包公墓的墓室是石棺。程如峰認爲，認定包公墓這一點至關重要。

張書章老人直搖頭，說：「石頭蛋子也沒有。」

「有沒有發現磚頭呢？」程如峰想了想，又追問了一句。因爲合肥出土的包公墓誌石，就是安放在棺前由六層灰磚砌成的方檯之上。

張書章老人肯定地搖了搖頭。

「也沒有發現棺材？」

「啥也沒有。」

「看沒看到人骨呢？」這一點，至關重要。即便有棺材、有衣飾，都不能說明它是眞正的包公墓，何況包公的遺骨已在合肥被發現。但程如峰仍要打破沙鍋問到底，因爲他太奇怪，這兒怎麼會冒出個包公墓，而且還堂堂正正立有「大清碑記」。

老人說：「更沒有。白忙活了一場。」

老人回憶道：「最後咱們不死心，不相信會一點收穫也沒有，就把墓土用口袋裝上來。」

「結果呢？」

「啥結果，用篩子過了兩遍，只篩出幾顆小珠子來。」

程如峰邊聽邊記，這時抬起頭，問：「珠子是啥樣的？」

老人說：「有的像豌豆圓，還有棗核樣的，好幾顆。」

「那些珠子呢？」程如峰停下了筆。

老人笑出了滿臉的皺紋，最後聳聳肩說道：「誰還留那呢，早給小孩換糖吃了。」

在清理包綏墓時，程如峰曾見到過這樣的小珠子，有棗核大小。剛才他們路過宋眞宗墓地時，在文官模樣的石人的衣飾上，他也發現有這樣的小珠子。根據張書章老人的介紹，後泉溝的這座包公墓裡，既無石棺，又無棺骨，甚至連一塊碎磚也沒有，有的只是宋代文官衣飾上的小珠子，據此判斷，這裡的包公墓只會是座衣冠塚。

顯然因爲這裡的包公墓已被冷落多年，平日無人問津，張書章老人又以爲程如峰和汪冰盈二人是專門來此觀光的，就說這包公墓平平常常，不値一看。並說：「看景不如聽景。」

接著講了一個關於寇準墓的故事。

他說寇準的墓早先是在伊洛河邊，康熙年間有次漲大水，眼看要把寇準墓沖毀了，鞏縣張知縣打算把寇準墓遷到東邊的一個高地上去。誰知在動土的時候，無意間竟挖出一塊石碑，碑上刻有幾行字：「我是大宋寇萊公，康熙四年被水沖，鞏縣有個張知縣，要把微

臣移向東，要向東，狠向東，新人腳下有墓坑。」張知縣一看，大吃一驚，想不到幾百年前寇萊公早就算到這一天，神了！於是他們就按照碑文上指點的，抬著棺材向東走呀，走呀，忽然看到一頂坐了新娘子的花轎停在路上。張知縣心裡想，碑上說的「新人」，不就是眼前的這個新娘子麼，於是就在花轎歇腳的地方，挖了個墓坑，葬了下去。這便是現在大家看到的寇準墓。

張書章老人說完故事自己先笑起來，說道：「可不，聽起來，不是比你們眞的去看寇準墓有趣得多嗎！」

這故事一聽就知道來自杜撰。但張書章老人的坦誠熱情風趣和富有民間藝人的樂觀浪漫的色彩，都給程如峰留下深刻的印象。然而，不知怎的，張書章老人在講寇準墓的故事時，程如峰的思想老是走神兒。他還一直在想離老人門外不遠的那座包公墓。

據《續資治通鑑長編》記載，天子駕崩是在七個月之內完成安葬，諸侯則是五個月。但是，包公從頭年五月去世直到第二年的八月才安葬，這中間，就歷時了一年零三個月，顯而易見，已經大大超出當時制度規定的時間。如果沒有特殊又特殊的原因，是絕對不可能允許的。這是犯了欺君大罪的。

當然，特殊的原因還是有的。從開封到合肥，當時只有水路，途中要經過黃河、運河

和長江，然後經由巢湖進入南淝河，最後才能抵達合肥。路途較遠，耽擱的時間將會很長。

可是這理由並不充分。因爲，這段水路，無論怎麼走，也不需要一年，似乎還有別的更複雜的情況。程如峰設想：包公在開封威望極高，死時「京師吏民莫不感傷，歎息之聲，聞於衢路」。連宋仁宗趙禎也親自到他家弔唁。就在這舉城哀悼聲中，宋仁宗極可能一時動情，做出讓包公陪葬皇陵的聖諭，並下令營辦塚墓。但是，喪禮過後，冷靜下來，各種矛盾便逐漸突出。首先，包公職務不過樞密副使，官不過二品，如果敕他陪葬皇陵，包公之前以及當朝地位比他更高、功勞更大的重臣賢相，又當如何禮遇呢？再說，包公從中進士到去世，全部政治活動都在宋仁宗時期，陪葬宋仁宗在情理之中，但從鞏縣芝田墓區的現場看，包公墓距宋眞宗趙恆的永定墓最近，僅有一兩華里，而距宋仁宗趙禎的永昭墓則有十華里之遙，以包公陪葬先朝陵墓，這就涉嫌「僭越」，爲宋代禮法所不容。可以想像，包公生前的眾多反對者，這時勢必會群起反擊。在各方面的責難之下，宋仁宗權衡利弊，不得不收回成命，乃令包公回原籍安葬。

這麼一周折——也似乎只有這種周折才符合歷史邏輯——因此在鞏縣已經建成的包公墓，就作爲包公衣冠塚留存下來。

換一個思路，出於歷史的某些誤會，鞏縣包公墓也許是一座張冠李戴墓。因爲張冠李戴的現象，在中國的歷史上已是屢見不鮮。遠的不說，在這之前不久，長沙馬王堆的發掘就很能說明問題。

長沙馬王堆在沒有發掘之前，誰都認爲它是五代楚王馬殷的墳塋，所以大家才把它稱作「馬王堆」。打開之後，全傻了眼。原來它不是五代楚王馬殷墓，而是西漢初年長沙丞相軑侯利倉墓。

程如峰從張書章老人的家裡出來以後，順著溝沿，在周圍作了一番認眞調查。越調查，疑團越多，當了解到附近古墓的安葬情況時，他突然萌生了一個大膽的設想。

從宋代等級森嚴的宗法制度看，包公墓的位置不可能距宋眞宗的李后墓不過里許，而且是葬在同一條高高的崗脊之上。李后原爲宋眞宗的司寢，因爲是宋仁宗的生身母親，宋仁宗執政後便將她追認爲皇后，改葬在現在正宮的位置。包公同李后葬在一條崗脊上，而宋眞宗眞正的皇后及楊后二人卻又都被葬在崗坡下的一個窪地裡，顯然是有失「君臣尊卑」之禮的。

再說，寇準是宋眞宗的宰相，究其地位、功勞、才幹、名望，樣樣勝過包公，他陪葬

皇陵，墓地居然在距宋眞宗的永定陵十二華里的洛河岸邊，而包公作爲後代臣子，葬地卻與永定陵這樣親近，無論從哪一個方面看，這都是很難解釋的。

程如峰猜測，鞏縣後泉溝村北嶺上的這個「包公墓」，更有可能是一個親王墓。這個親王，應該是燕王趙元儼。

趙元儼是宋太宗趙光義十分喜歡的第八子，宋眞宗的愛弟。宋眞宗曾先後封他彭王、通王、涇王；此人資質嚴毅，喜儒學、好文詞、善書法，劉太后當朝時，他自以爲屬尊望重，恐遭忌禍，佯爲瘋癲，杜門不出。宋仁宗親政，對這位賢皇叔極爲尊寵，又先後晉封他爲定王、鎭王、孟王、荊王，人稱「八大王」，名聞中外，是後來戲劇中「八賢王」的原形。趙元儼晚年染上重病，宋仁宗親至臥室，手調湯藥，賜他白銀五千兩，但他堅辭不受。死後，范仲淹奉宋仁宗之命，用了五個月才完成其葬禮。

趙元儼生前死後受到如此特殊禮遇，應該不會像一般親王一樣葬在宗室的墓區，把他葬於兄長宋眞宗永定陵的附近，倒是順理成章的事。

當然，就這位燕王的性格、聲望來看，倒是都與包公有許多相似之處，包公的大名後來日益深入人心，久而久之，就把趙元儼墓訛傳爲包公墓，情理也是說得通的。

15 大包村、小包村

合鋼二廠基建處的張國麟和王占魁，在包公墓園清理工作中的最後一項工作，是代表企業處理好已經裝進十一口小棺材盒子中的遺骨。他們找到包公三十三代孫包義旭，包義旭早和族人商量過，考慮到包公的父親包令儀原來葬在合肥東門外的螺螄崗，一九五三年因建安徽紡織廠，被遷到了肥東縣大包村的龍山，於是就說：「也遷到龍山去。」

張國麟和王占魁也都覺得這是最好的辦法，葉落歸根嘛。這樣包公就闔家團聚，五代同堂了。他老人家在天之靈，亦會感到安慰了。

按照當時的規定，每穴的遷墳費是五塊錢，就發了五十五元人民幣給包義旭。這天，他們調來一部江淮牌的敞篷汽車，裝上十一口小棺材，由包公三十四代孫包遵元帶著包遵文、包遵安、包遵章、包先友、包先福、包先學、包訓芝、包訓素三代十多位包氏後裔，護送老祖宗的遺骨向大包村進發。為照應車輛，張國麟和王占魁也隨同前往。

出發前，吳興漢似乎預感到此行凶多吉少，當時的政治形勢不容樂觀，「批林批孔」正鬧得驚天動地，已經作古兩千多年的孔老二，還被拉出來接受批判。他不能不多點心眼兒。為防不測，他專門跑到「萬歲館」開了一張介紹信，帶在身上。程如峰正好從河南省的鞏縣回到合肥，雖然還沒有歇過來，聽說包村是包公的「衣胞之地」，也就樂得跟車走一回。

那時合肥去文集大包村的公路還相當糟糕，車子一路上顛顛簸簸，車廂外面是黃塵彌漫。還沒到縣城店埠，一個個早變得灰頭土臉，狼狽不堪。

車過石塘橋後，路面更壞，大家吃力地抓住車幫，以防被劇烈的搖晃甩下車去。誰也不說話，都在想著自己的心事，所以當時除了汽車的引擎聲、車廂的顛簸聲外，空氣就像被壓縮凝固了似的死寂。

眼看文集已經在望了，突然，站在車廂裡的一個年輕人從身邊摸出了一串鞭炮，點著後向空中扔去。剎那間，清脆響亮的爆炸聲，響成一片，打破了田野的寧靜。

村民們紛紛跑出家門，好奇地張望著。

這事顯然出乎程如峰的意料。本來就怕風聲大，惹出不必要的麻煩，現在鞭炮突然響了，竟把他嚇了一跳。回頭看，發現是包氏家族的年輕人，便勸道：「算啦，別驚動這麼

大。」

誰知他的這番好意，竟惹出許多人反對：「這是把老祖宗接回來，關別人什麼事？有啥害怕的？」「『四類分子』走投無路了還可以回原籍，堂堂正正的『包黑子』回老家，幹嗎像見不得人似的，屁也不敢放！」

幾個年輕後生並不理會別人的規勸，又從包裡掏出事先拆零了的鞭炮，拋向了天空，在車後傳來清脆而又響亮的爆炸聲，似乎十里八里遠的地方都能聽到。

車上沒有一個人再說話。

爲親人送葬燃放鞭炮，這一傳統在中華民族由來已久了。程如峰當然比年輕人更清楚。只是聽著一聲連一聲的鞭炮響，他由不得心裡發緊，爲包家捏著一把汗：這可是「階級鬥爭一抓就靈」的年代啊！他暗地歎了一口氣。若不是這掃「四舊」批清官，威風了幾百年的「青天大老爺」包龍圖，又何嘗會落到這等地步！

趕到文集，才知道，這天正趕上逢集。程如峰老遠便聽得叮叮噹噹的打鐵聲，聞到油炸點心的甜酥味。小街兩邊一長排賣蘿蔔白菜、豬羊鵝鴨、藤筐竹籃的，熙熙攘攘，好不熱鬧。

放鞭炮的年輕人見車要進文集小街了，街上人頭攢動，這才停了手。

▲肥東縣大包村龍山

車子直接開到了文集正街的一片空地上。空地有籃球場那麼大，正中間有一口井，稱「市井」。這是文集公社黨委會和革委會機關的所在地。車剛停穩，坐在駕駛室裡的吳興漢，打開車門跳了下去。他邊走邊掏出介紹信，一個人進了公社的大門。

只一小會兒，吳興漢便走了出來。程如峰發現，老吳跨出大門的一瞬間，臉色很難看。但他馬上就變得自然，好像什麼也沒有發生，打開車門，很快鑽進了駕駛室。

車在公社門口的空地上調了一下頭，便直奔大包村。

到了大包村，就在包氏後裔張羅著把那十一口小棺盒往下卸時，程如峰悄聲問吳興漢：「公社怎麼說？」

吳興漢苦笑著，說公社崔書記的話很難聽：「我們正在批『四舊』，你們卻在搞封建宗族的迷信活動！」吳興漢耐心解釋：「我們這是執行組織上分配的任務。」說著遞上介紹信。崔看也不看，越發不高興：「別拿『組織上』來壓我，我還懷疑他是不是走資派呢！」吳興漢本來還想解釋幾句，見對方不再理睬，感到話不投機半句多，只得轉身走了。

程如峰聽罷像呑了一隻蒼蠅。碰到這種人，你就什麼法子也沒用了。

大包村，離文集街上僅一里之遙，幾百年來，包公後裔就在這裡聚族而居。村子裡清一色的姓包，一百五十來戶，七百多口人，只有幾家外姓，還都是包家親戚。可以說這裡是包家的地盤。

村裡事先已經知道城裡要把包公的遺骨送回來，許多人早早就等候在村頭上。一見汽車開過來，就把震天響的鞭炮點著了。

大隊長包先長，這天特地換了件中山裝，戴了一頂黑呢幹部帽，還在上衣的口袋上插了支水筆，顯得格外精神。他奔前跑後地張羅著，先把吳興漢、程如峰、張國麟、王占魁幾位客人請進大隊部坐下，叫人送上茶；然後又安排各家各戶集中桌椅板凳、鍋碗瓢勺，忙著準備午飯。

大隊會計包遵國家裡的場子大，因爲要擺五桌酒席，包先長就決定放在他家。雞魚肉

蛋是現成的，豆腐也是頭天打好了的，隊裡又拿出五十五塊錢，大清早就從集上買來了上好的老白干。一切倒也方便，十一點大夥就入了席。

席前，吳興漢把公社書記的態度告訴給了包先長，包先長似乎並不意外，瘦長的臉上淡然一笑，說道：「知道了。」就忙著招呼客人入座。

大家正在吃飯呢，窗外有個人影一閃，接著就聽到要大隊長出去一下的吆喝聲。包先長像個無事人，丟下筷子不慌不忙地出了門。

原來公社書記崔某專門派人找上了門。

在包遵國屋子外面的一棵椿樹下，來人傳達了崔書記的一句話：「宋朝的保皇派，誰敢在文集這裡埋，就打誰現行反革命！」話說得沒有一點商討的餘地。

包先長聽罷，慢慢地側過臉，去瞅來人的眼睛，平靜地問：「就這話？」

來人說：「就這話。」

包先長瘦長的臉上露出怪笑，說：「誰都不能沒有老祖宗吧？沒老祖宗，就沒我們；我總不能讓他們無處安身。」

「無論如何不能在這埋！」來人話說得很冷很硬。

包先長的心被刺痛了，他把戴在頭上的那頂黑呢幹部帽猛地捋在手裡，用同樣又冷又

硬的語氣說道：「就是隊長不幹，我也要埋！」說罷就把來人丟在一邊，自己走開。

那天，包先長放開了酒量，喝得十分痛快。顯然，他是喝多了，他說得最多的還是那麼一句話：「這隊長就是不幹，也要埋！」

大家的飯碗剛放下，公社書記又傳過話，要大包村黨支書包海明、大隊長包先長、大隊會計包遵國、大隊老黨員老勞模包遵林幾個人，立即趕到公社去。

胳膊再粗也扭不過大腿呀，幾個人一商量，覺得不去也不是辦法，既然去了，就得把話挑明，看姓崔的又能怎麼樣。

大隊的幾個幹部一出門，包訓芝、包訓素、包先友、包先福和包先學，也一個個腳跟腳地找到公社，他們實在氣不過，也決心去同書記評評理。趕到公社大院，老遠就聽一個人的嗓門啞啞地在喊：「馬上把那些棺材匣子送走，不然，我們就當場銷毀！」

包訓芝首先跨進門，極力申辯：「我們是組織上安排來的，不是來搞宗族迷信活動的。」

那人的臉上毫無表情，冷冷地還是那句話：「你們帶回去，不然就地銷毀！」耐心解釋，屈身求情，一切努力都無濟於事。

從公社走出來時，包先長以大包村族人代表的口吻向包訓芝等人說：「你們先回合

肥，這事就交給我們。」並特別關照，「這事也就我們幾個人知道，暫時別往外說，免得讓其他人擔心。」

回到大包村，包訓芝、包先福和包先學就隨合鋼二廠張國麟和王占魁返回了省城。程如峰不知道公社大院剛發生的事情，以爲一切都辦妥了，就提出想去看看包公的誕生地。他邀上吳興漢，步行去小包村，好在小包村和大包村之間離得已經很近。

在小包村，他們遇到了十分熱情的包禮凡。包禮凡正掄著大錘砸著片石，在忙著蓋新房。聽說他們是送包公遺骨過來的，順便想看看包公的「衣胞之地」，就高興地放下手中的活，邀到家中，親切地攀談起來。

包禮凡說：「這裡已經不叫包村，破『四舊』時改成了小李巒生產隊，屬解集公社大楊大隊。全隊八十多戶，五百來人，姓包的佔了二十二戶，一百二十多人。解放前，姓包的都很窮，常常被人欺壓，附近七八個隊沒有一戶姓包的地主，是毛主席領導我們翻了身。」

也許小包村的故事人人都會講，要不就是碰到了一位出色的導遊，包禮凡帶著他們四處去看包公的遺跡，並結合遺跡講一些神話般的故事，讓人聽得津津有味。

若干年後，我們帶著對包拯的敬仰之情，去走訪他老人家的衣胞之地小包村時，原也

想見一見那位包禮凡，遺憾的是，始終也沒有找到他的家。不過，我們碰到的任何一個村民，不管是不是包家的後人，也都可以說上一大堆包公與小包村的故事。

那天，包禮凡帶著程、吳二人首先登上了鳳凰山頂。這是一座並不高峻的山崗，方圓八華里，離村極近，在東南方向。山上雜草叢生，小樹稠密。包禮凡說，這山本叫柴山，包公幼年常在山上與村裡的一群孩子玩耍遊戲。他說當時包公家裡很窮，他母親懷他快臨產了，還上山打柴。一天，她正在打柴，忽然感到腹中一陣劇痛，她知道胎兒在躁動了，立即捧腹蹲下，休息一下然後再走。就這樣，她每痛一次就又捧腹蹲一下，在她蹲過的每個地方都長出了一個小土包。她一共蹲了十三次，山上就隆起了十三個土包。人稱「一里十三墩」。

順著手指的方向看去，他們確實看到鳳凰山的山頭上尙存有六七個隆起的小包墩。不過，程如峰心裡清楚，因爲他早從包氏家譜中知道，鳳凰山上的這些小土墩，其實是包家的老祖墳。這些墳墓應該是包公的先人墓。也許包禮凡也是知道的，只是不願意說穿。於是他也就裝糊塗，不願打斷包禮凡的興致。

從山上下來，包禮凡把他們帶到村邊的一口荷花塘。塘面不過一畝田大，已是秋後的季節了，水面上東倒西歪地橫陳著一些蓮荷的枯枝敗葉。

包禮凡說：「包公剛生下來時，全身漆黑，不哭不叫，他父親以爲生了個妖怪，就把他扔到荷花塘裡。那一塘密密麻麻的荷葉竟托住小包公。他睡得正香呢，他的大嫂子出來洗衣服時發現了，猜想一定是剛生的小弟弟，就偷偷抱回房裡，暗地哺育長大。所以在我們包家，自古就有長嫂如母的說法。」

這故事顯然是編排的，是把崔氏哺育包綬的故事，移花接木到了包公的身上，還演化出一幕著名的包公戲《赤桑鎮》。

程如峰卻寧願相信《廬州府志》和《合肥縣志》上有關這口荷花塘的記載文字。說包拯從小就愛和村上的孩童一起，在這塘裡摸魚撈蝦釣鰍掏鱔；每逢赤日炎炎的夏季，他總是愛跟小夥伴們一道在塘中洗澡嬉戲。

與荷花塘隔上幾條田埂的地方，有一口水井。包禮凡介紹說：「這井，叫花園井。井很深，大旱不乾，大澇不漫，水味甜美，包公就是吃這井裡的水長大的。」

正說著，一位前來打水的五十來歲的婦女熱情地插上一句：「包公就是在那裡出世的。」她用手指著前面五十公尺遠的一排平房。

程如峰笑道：「這都是九百多年前的事了，你怎麼知道？」

中年婦女說得很認眞：「我住在那裡，世世代代都是這麼說的。」

她的話立刻使程如峰想到了夏廣宏老人。是呀，來自民間的傳說，有時你不得不信，正是夏廣宏的先人，世世代代口傳下了包公墓的確切位置。

程如峰對中年婦女的話產生了很大的興趣，覺得她的話極可能會有眞實的不見諸文字的歷史。從建築考古的角度看，我國古代莊園的格局，大都是前宅後園，住宅的後面大都闢有花園，現存的曲阜孔府就是最好的例證。花園井說不定就是在當年包公住宅後面的花園之中，包公在這誕生是完全合乎情理的。

繞過花園井，穿過那一排後來建起的低矮的平房，在一個村邊水田裡，他們看到了一塊約有簸箕大的土堆。包禮凡說，那便是包公的衣胞地。

衣胞，醫書上稱胎盤。按舊時的習俗，孩子生下地，胎盤是要拿到外面的野地裡埋掉的，不像現在那樣用來做補藥。

說著，包禮凡的臉上露出了苦笑。他說運動來了，一切都變了，大清官如今變成了大壞蛋，比貪官還壞，原先這兒還有個小廟，廟前有塊磨盤大的青石板，現在廟拆了，石板也被人敲碎揭走了。

「包氏宗祠還在嗎？」程如峰問道。

「多虧改辦村裡小學了，不然，也就毀了。」

程如峰和吳興漢在村莊的北頭找到了這座包氏祖祠。這是一座清代中晚期建築，前後兩進，每進都是三開間，中有小院，灰磚小瓦。雖古樸簡陋，卻處處透出典型的江淮地區民居的特色。它的最大特點，就是一改中國所有祠堂大門朝南開的定式，它的大門是向北洞開。爲什麼這樣做，包禮凡說，聽老輩人講，這是因爲北宋的京城在黃河邊上的開封，門向北，就表示忠於大宋；也有的講，這是包家有意標新立異。

小包村的確有好多與眾不同之處：人們一般都是選在臘月二十三送灶王爺上天，包家卻在臘月二十四；人家正月初三晚上送年，包家卻定在正月初四早晨；正月十五玩燈，通常要在十三試燈，他們卻在十四；包家祠堂朝北開，正是這種思維與眾不同的反映。

在祠堂院子的左側有一溜青石板台階，從地面一直鋪上高高的圍牆。顯然並不是爲了供人上牆，更不是上樓，因爲無樓可上。細問後才知道，當年修建這座祠堂的十八個包氏後裔，祠堂修好後不久就相繼去世。後人爲紀念他們對包氏的貢獻，給每人築一個台階，讓後世永遠記著他們。

程如峰數了數，不多不少，正是十八級台階，它們無聲地架在那裡，和整個祠堂融爲一體，令人肅然起敬。

這種創意，以及這個故事，其實並不奇特。可奇特的是，祠堂已經相當陳舊了，但過

堂和正堂的屋梁上，卻乾乾淨淨，根本找不到蜘蛛爬過的痕跡；並不平整的牆壁上，也看不出明顯的灰塵。守護祠堂的人也感到奇怪，因爲除了地面，那些地方他們從來就沒有打掃過，竟總是那麼乾淨。如果不是親眼所見，這事壓根就不會有人相信。守護人的解釋是：當年修建祠堂的那十八個包氏祖先的靈魂並未離開。

有一段時間，祠堂曾經改爲學堂，爲防冬天的北風侵襲孩子們，只得把門改向東，門旁邊的一個窗子，還用木板封了起來。程如峰透過網狀的鐵絲窗，驚異地發現：木板上繪製有河流般的墨線，墨線上寫滿了一個個人的名字！原來封窗用的竟是包村的木板譜。過去修一次譜不容易，既要有經費，又要有人才。一些人丁不多、財力不強、人才缺乏的姓氏修不起譜，但又怕長期下去，世系中斷，成爲無本之木，無源之水，就把世系寫在木板上，或者布帛上，稱爲木板譜和布譜。都是極少見的。

這是他平生第一次親眼見到這種標本。可惜木板早已經在日曬雨淋中變成了灰褐色，與木板上的黑線反差很小，難以辨清。

他痛心地直甩頭。他摸出一張紙，仔細地揩去「木板譜」上的塵土，爲這扇奇特的窗戶拍了一張照片。

16 遺骨偷埋

在故鄉的龍山腳下，在大包村村邊的空地上，青天大老爺「包公」度過了一個不平凡的夜晚。

守在邊上的大包村大隊的大隊長包先長，一夜沒合眼，眼睜睜望著這些雖然歸鄉卻不准入土的祖先的遺骨，欲哭無淚。一介草民，尚有三尺之地，千年的忠魂，卻不得一抔黃土。這是怎麼回事啊！

爲了保住老祖宗的遺骨不被銷毀，第二天，包先長只得委曲求全，讓人把十一個木棺匣子重又送回合肥。這樣，十一個小木棺就被運到了包遵元家。

怎麼可以把這些裝有老祖宗遺骨的木棺匣子，就這麼放在家裡？包遵元急得在屋裡屋外直轉悠，腦袋都想痛了，也不知如何是好。這天，他約上包義旭，二人一道來到市文化局，找到程如峰。

程如峰聽完了二人的講述，只覺得腦袋「嗡」地一響，才知道莽莽廬州沃土，竟無包公的葬身之地！

再去找文集公社的領導談，肯定是對牛彈琴了。只有請更高層的領導出面干預，給肥東施加壓力，這事或許還有解決的可能。可是，又該去找哪一位領導呢？

最後，程如峰領著包遵元和包義旭去見吳興漢。吳興漢似乎並沒有感到意外，他從文集公社黨委書記那張寫滿「階級鬥爭」的臉上，已經預感到了這事的棘手，只是沒料到，事情會僵到這個地步。

經過一番努力，吳興漢從省「萬歲館」政工組開了一張致肥東縣革委會政工組的正式函，說明包公遺骨遷葬是上級的意圖，是合肥鋼廠建設的需要，並不是包家在搞宗族活動，以此來打消文集公社的顧慮。

這封公函已發往肥東時，程如峰的心上像一塊石頭落了地。誰知，僅隔了幾天，程如峰家的門又被包義旭和包遵元敲開了，兩人愁眉緊鎖，一副想哭的樣子。

程如峰忙讓二人進屋：「還沒解決？」

包義旭直歎氣：「沒解決不說，包先長整天挨批鬥，廣播站在全縣的大小喇叭裡，點名批判他搞宗族幫派活動，對抗運動，說他搞反攻倒算，搞復辟。」

程如峰緊張地問：「包公遺骨現在放在哪裡？」

包遵元說：「放在我家呢。」

放在家裡當然不是辦法，程如峰想了想，說：「你們是不是跟原來包公墓的所在地合肥郊區大興公社雙圩大隊的幹部商量商量。清理墓地時，我們相處了幾個月，關係很好，可以求他們幫助找塊地方把遺骨埋了。」

包義旭也覺得只能這樣。況且，他在清理小組也呆了幾個月，雙圩大隊的不少幹部，他也鬧熟了。可是，去了大興集，才知道，雙圩大隊的所有山地均被合鋼二廠徵用了，剩下的全是水田，沒有可供墓葬之地。

包義旭和包遵元又白跑一趟。

一切能夠想到的辦法，似乎都想到了，剩下的，只有絕望。

包遵元從大興集回到前進新村的家，怒火中燒，只想罵人，他把茶碗摔得叮噹響。老伴怕老頭急出啥病，就細聲相勸：「幹嗎發這麼大火，再慢慢想想辦法。」

包遵元雙眼佈滿了血絲，痛苦地喊道：「還有啥辦法？啥都別指望！」忽然，他衝進裡屋，操起了棍棍棒棒。

老伴嚇壞了：「你，你想幹什麼？」

▲安葬包公遺骨的包公三十五代孫包先正（右）和三十四代孫包先長（左），在遷葬墓側合影。

包公遺骨出土後，少數由博物館研究，大骨都交包家送到肥東縣文集公社大包村大隊包公故里安葬。當時遭到公社領導崔××的強烈反對，勒令運回合肥（約40公里），大隊書記包先長被停職檢查，批鬥四個月。後遺骨由包先正黑夜偷偷運回，他一人偷偷埋葬在龍山腳下。

「還能幹什麼？讓老祖宗和我們一塊住！」

包遵元滿屋子裡找著廢舊木料、鐵絲、釘子和油毛氈；老伴終於明白了，也忙去做替手，在自己屋外的山牆邊上搭出個披廈，然後，把裝有老祖宗骨頭的十一個棺材匣子統統搬進去。

就這樣，曾經讓那些爲非作歹的皇親國戚聞風喪膽的包老爺的遺骨，竟然在合肥前進新村一間簡易的披廈裡，度過了一段羞辱而又辛酸的日子。

眼看立冬了，小雪過後是大雪，轉眼間冬至又到了。冬至一過，江淮地區便進入了數九寒天，一天冷似一天。一九七三年十二月二十三日，冬至的第二天，正是個星期日，大包村的包先正，同包家女婿黃其榮，趕著毛驢，拉著小板車，到合肥來運飼料。每次大包村來人，如果當天走不了，一般就在包遵元家歇腳。這天，包遵元特地把包先正和黃其榮邀到家，同時，把包義旭也請了來。

包先正因爲耳朵確實有點聾，加上平日很少說話，就得了個聾子的綽號。他個子很高，長得挺壯實，長方臉，往屋裡一站，透出幾分英氣。特別是他爲人忠厚，不摻一點假，這一點在大包村是有口皆碑的。包遵元這時想，祖宗的遺骨就這樣放在山牆外的披廈裡，經過這幾個月的冷處理，風聲也漸漸過去了，外邊又是天寒地凍，這正是偷葬的好時

機。相信，只要聾子攬下這件事，造反派縱使殺了他的頭，他也絕不會吐出一個字的。這事交給他去辦，是最放心不過的。

見面時，包遵元的話便有意無意朝包先長被批鬥不休的事上引，包義旭在邊上更是火上添油，包先正終於被激怒了。

黃其榮畢竟只是包家女婿，面前坐的又都是長輩，不便插話。他已經注意到，三人有些話好像要迴避著他。他雖然年輕，卻也機靈，找個藉口就上街去了。

黃其榮一離開，包遵元和包義旭就把包先正拉到山牆外去看披廈。包先正透過油毛氈的縫隙朝裡一瞅，發現裡面藏著十多個小棺匣子，知道這是從大包村運回來的老祖宗的骨骸，心裡頓時刀割般地難受。

包義旭於是把話挑明了說：「這樣下去總不是事，你能不能偷運回去找塊好地埋了？」

「聾子」雖是四十大幾的人了，卻比包義旭晚了兩輩，見「毛老爹」這樣看重自己，信得過自己，就很激動，馬上應道：「這也是我的老祖宗，我怎能不盡力！」

回到屋子裡後，他又問：「一共多少口棺材？」

「十一口。」

「十一口，雖然每口都不大，看樣子也就二尺來長，尺把寬，可放在一起，堆垛起來

卻也不小，太顯眼。」包先正一邊琢磨，一邊說，「能不能這樣，我們找出包公的棺材不動，其他的能併就併，目標要小才行。」

包義旭和包遵元都認眞聽著，二人都不免心中一驚。俗話說：一聾三呆。因爲耳朵失聰，常常會使人反應很慢，動作遲緩，看上去像個弱智人。卻不料，包先正認眞想起事情來，頭腦如此靈光，把問題想得這樣細。

三人一合計，立即把披廈裡的小棺匣子全搬出來，除包公的那口不動外，他們把那些夫妻兩口的併成一口，十一口棺匣就變成了六口。可六口棺匣放在小板車上，目標仍然很大，容易引人注意，一旦被識破，遺骨就眞的會被徹底毀掉。

在合併時，三人已經發現遺骨其實並不多，有的裡面裝的只是一兩把墓土，於是又決定把其餘五口棺匣內的遺骨乾脆併入到一口小棺匣中去，這樣一併，就只剩了兩口，把它們放在板車上，再用麻袋一蓋，就誰也發現不了。

待把兩口棺匣子在板車上放好，蓋好，「毛老爹」包義旭依然不放心地交代道：「一路上最不平安的是店埠，縣委、縣革委會在那裡，『群專』（群眾專政）檢查嚴，萬一被查出來……」

包先正反倒十分鎮定，他滿有把握地說：「我心裡有數。」

包遵元又把他自己父母的骨灰盒也放在車上，讓包先正抽空一起埋在老家，也算了卻了一樁多年的心事。

黃其榮從市內逛街回來，對這一切全然不知。他們提前吃了晚飯，太陽還老高地掛在西天，二人就早早地動身了。

就這樣，「包龍圖」在小毛驢「噠噠噠噠」的蹄聲中，在嚴密的僞裝之下，又一次起程向家鄉走去。

那天，天陰得厲害，朔風打著呼嘯，寒氣逼人。包先正縮著手，臉色也凍青了。但他顯然不急於趕路，而是按照「毛老爹」的安排，半路上，還找了家避風的茶棚子，耐心地喝了兩大碗滾燙的熱茶。

天終於黑了下來。他們趕著毛驢走上店埠橋頭的時候，發現縣城的大街上，除了幾盞昏黃的路燈還在寒風中閃爍，一兩個行人埋著腦袋匆匆走過，白日熱鬧的景象全被寒冷捲走了。

包先正暗下驚喜，但仍不敢大意，遮在毛線帽檐下的一雙眼睛，警覺地注意著兩邊的一切動靜。直到把縣委和縣革委會遠遠地丟在了身後，夜道上差不多已難覓人跡了，他這才敢大著聲兒地乾咳幾聲，讓自己完全鬆弛下來。

在店埠一個雜貨店，包先正買了十幾只小口肚大的陶瓷罈子。黃其榮好奇地問：「你買這幹啥？」

「醃菜。」包先正說得很隨便。

「醃多少菜，需要買這麼多罈子？」黃其榮忍不住地笑。

「聾子」平時話就少，小黃的話他肯定聽到了，只是他不想答理，就當成沒聽見。他把罈子在車上放穩實之後，就又一聲不吭地上路了。

這以後，他們又摸黑走了四十里，到大包村時，已是後半夜了。

黃其榮回家後，整個村莊都沉沉地睡去了，肆虐的西北風主宰了夜幕中的一切，包先正卻毫無睡意。他雖然也很疲勞，渾身上下感到刺骨地寒冷，但他沒有忘記包義旭和包遵元兩位長輩的囑託，回家找了把鐵鏟，然後，悄無聲息地拽著小板車，在那個沒有月亮也沒有星星的晚上，像幽靈一樣地消失在村東通向龍山的小道上……

17 包公被平反昭雪

「明教寺」是安徽省的一座有名的寶刹，也是省城合肥保存最好的一處古建築群。「文革」初期，明教寺內的佛像被搗毀，僧侶被趕走。這座寶刹先是被「官辦」紅衛兵當作司令部，後來又被「八二七革命造反兵團」奪過去。再後來，「屁」、「極」兩派（以一九六七年一月二十六日「奪權」劃線的兩大派，認爲「好極了」的稱爲「極」派，認爲「好個屁」的稱爲「屁」派；中央文件上曾改用「G」、「P」兩個字母稱呼兩派）大聯合，群眾組織算是撤出了明教寺。但是，隨之而來的，是合肥電機修配廠和合肥生產資料公司兩個單位佔了進來，掛出了「行人止步」的牌子。這座有著 千七百多年歷史的三國遺跡教弩台（又稱「曹操點將台」），和富有中國古建築特色的廟宇、大殿成了車間，從此遊人卻步。

不久，有人嫌這座高台橫亙鬧市，礙手礙腳，決定動用推土機把它夷爲平地。

程如峰感到忍無可忍，他不斷地向合肥市革命委員會寫報告，希望保護好明教寺這個特有的文化遺產，要求將工廠、機關遷走。可報告屢呈，均石沉大海。在當時那樣一種情況下，許多人甚至不知道「文物」爲何物，說了也等於白說。

「四人幫」被粉碎之後，萬里來安徽主持工作，他不僅在農業上抓了鳳陽縣小崗村「大包幹」的典型，工業上抓了合肥無線電一廠民選廠長的試點，這天，他還提出要看明教寺，看罷明確地指出：「這是名勝古跡，爲什麼搞得亂七八糟，裡面的工廠、機關必須立即遷走。早就應該加強文物工作的管理了。」

萬里的指示，程如峰是很久以後才聽說的。市革委會一位有關負責人告訴他：「你五年前就打過幾份很好的報告，要求保護明教寺，現在市裡決定電機修配廠和生資公司遷走，明教寺就交給你們修復，盡快設法開放吧。」

程如峰聽到市裡的這個決定，別提有多激動。雖然激動，但他心裡卻十分清楚，時間不饒人，畢竟已是五十多歲的人了，必須抓住這幾年光陰，爲自己喜愛的文物事業多做一些事情。

緊接著，他和汪冰盈，以及後來當了文物處處長的彭國維三人一道，接收了明教寺。

程如峰最關心的，當然還是包公。他不禁由此聯想：明教寺可以「枯木逢春」，包公祠

難道就不能重新認識嗎？

說來也巧，五月底的一天，程如峰正在明教寺整理著資料，一抬頭，發現面前站著新華社記者張萬舒。

他和張萬舒早就相識，一九五八年，他在《合肥文藝》編輯部做編輯時，張萬舒還是合肥模型廠的工人。張萬舒的詩寫得很有激情，又十分勤奮，很早就成了一個在業餘創作隊伍中作品頗豐的青年詩人。由他創作的〈黃山松〉一詩，氣勢磅礡，寓意深刻，經《詩刊》雜誌發表後，一鳴驚人，其中精彩的詩句，後來竟被移植到了京劇革命樣板戲《沙家濱》中。他先是被調到新華社安徽分社，不久就去了總社工作。

兩人久別重逢，自然有許多話要說，自然要說到包公。

程如峰向張萬舒介紹了一下他所了解到的包公墓、包公墓誌和有關包公的著作。張萬舒一聽，笑道：「今天我來找你，正是爲這件事！我知道五年前合肥就發掘了包公墓，而且你在這方面是有所研究的。」

說著，他翻開隨身帶來的《孝肅包公奏議》一書，指著包公奏議上寫著的「廉者，民之表也；貪者，民之賊也」。的文字，連聲稱讚：「講得多好，多好！愛恨分明。現在正需要包拯這樣的精神！」

然後他便說出了此行的意圖：「我想約你用你們掌握到的最新的資料，寫一篇評論包拯的文章。」

程如峰聽了又是高興又是擔憂。高興的是，他有幸參加了包公墓的發掘工作，這五六年，自己又獨守寒窗，在出土文物的研究上，在相關資料的收集上，確實做了大量工作，早就想把探討的成果總結一下；憂的是，「文革」十年，大小刊物全都停辦，「清草池塘獨聽蛙」，他已經是很久沒有動筆寫東西了，可以說文思滯鈍，語言貧乏，所以不敢貿然承諾。

「我提供素材，你把關，算二人合作吧。」程如峰懇切地說。

張萬舒見程如峰說得很誠懇，也就答應了下來，說：「你先拿出初稿，由我處理。」他說，這篇文章一定要摒棄大批判式的八股文，考慮到目前對「文化大革命」如何評價的問題仍很敏感，他建議在文章中最好不提及「文革」以來強加在包公頭上的那些誣衊不實之詞，但是又必須旗幟鮮明。總之，文章要做到心平氣和，讓事實說話，相信讀者會明辨是非，讀後能得出自己的結論。

程如峰認眞聽著，覺得張萬舒的提醒是有道理的。不過，他仍擔心地問：「這樣的文章，有地方發表嗎？」

張萬舒胸有成竹：「內參。但文章不要過長，全來乾貨，三四千字爲宜。」

程如峰坐了下來，開始認眞準備。他的感覺跟張萬舒一樣，現在正需要包拯的精神。從歷史上看，包拯精神的出現和傳播，其實是長期的專制統治制度和普通民眾的依賴性相互作用的結果。應該承認，包拯的身上忠君的成分很濃，但更多的還是中華民族的傳統美德：清正廉潔，剛正不阿，鐵面無私，關心民瘼。這些品德和情操，不僅在專制的人治社會中有其積極的意義，就是在民主與法治提高到了一定程度的現代社會，它也是協調人與人、人與社會關係不可缺少的道德文明規範。

經過一番思考，程如峰又回到了書房。他讓自己儘量地平靜下來，然後，拿起了筆。

他寫得很平實，幾乎在說大白話，沒有刻意渲染，也沒有溢美之詞。一句話：實事求是，讓事實出來說話。

他從出土的包公墓誌銘中，精選出最能代表包公剛正、廉潔、愛民的幾件事，以使文章更具有權威性。爲說明問題，他也引用了《宋史》以及包公本人的部分奏議。

他寫得很快，很順手，因爲許多資料早已爛熟於心。但他還是有所顧忌，「四人幫」雖然被粉碎了，「文化大革命」卻並未全盤否定，由於思想上長期受到禁錮，雖然感到春風吹來，但春暖花開仍待時日，大家依然心有餘悸。因此，即使是些最能表現包公疾惡如

仇性格的重要細節，他也不得不「忍痛割愛」。比如，包公彈劾張堯佐，並不像他寫到的，僅僅是「連續上疏」、「提醒趙禎」，或是「更嚴厲地指出」，事實上，包公爲要求宋仁宗趙禎收回成命，竟在大殿之上與趙禎高聲爭辯，公開指責他「私昵後宮」，並抨擊國丈張堯佐無德無能，言詞之激烈，使得在場的文武官員爲之變色。包公依然步步逼近，「音吐憤激」，居然將唾沫星子濺了皇帝一臉。

文章趕到收筆時，程如峰想到了包拯那首〈書端州郡齋壁〉的詩。

包拯一生流傳下來的，也只有這一首詩詞。雖隻言片語，卻可以看作是包拯的官箴，而他終其一生都是在履踐著這一信條的。

清心爲治本，直道是身謀。
秀幹終成棟，精鋼不作鉤。
倉充鼠雀喜，草盡狐兔愁。
史冊有遺訓，毋貽來者羞。

最後，程如峰把包公這首詩開頭的兩句拿來作了標題。

張萬舒看了，又在結尾處添了一段。因爲他注意到，當時的合肥市廬劇團正在上演著名的包公戲《秦香蓮》，場場爆滿，盛況空前，於是他補寫道：

包拯死後，他們的形象被寫進小說、說唱文學和戲曲，包公戲直到今天還爲人們喜聞樂見。今年以來，許多地方重演包公戲，有的連演幾十場座無虛席，每當觀眾看到《秦香蓮》一戲中，包公當著皇太后和皇姑的面，舉著烏紗帽鍘陳世美時，無不報以長時間的熱烈的掌聲。

〈清心爲治本，直道是身謀〉一文，由張萬舒發往北京後，很快就在新華社《內部參考》上全文發表。雖說是內部參考，它的涵蓋面卻囊括了全國的新聞媒體，同時使得相當多的領導幹部了解到了眞實的包公。

文章的發表，給了程如峰莫大的鼓舞。於是他開始思索一個新的問題，包公墓誌的出土，不是一條很重要的新聞嗎？但是，從一九七三年到一九七八年，五年多的時間裡，竟沒有一家刊物、報紙、電台、電視台作過一個字的報導，整個被「封殺」了！

他又寫了一篇〈合肥清理包拯墓〉的報導，把清理的原因、經過、出土六合墓誌，以

及包公墓的歷史變遷等等，都作了扼要的介紹。內容豐富，又言簡意賅，全文不足一千字。

文章寫好後，他首先想到了《光明日報》。因爲〈實踐是檢驗眞理的唯一標準〉一文，就是在《光明日報》上以「本報特約評論員」署名發表的，他特別佩服這家報社的膽識和眼光，因此，他想都沒有多想，就把稿子寄給了《光明日報》社。

毫無疑問，那段時間的《光明日報》，對這類稿件格外敏感，收到程如峰這篇報導後，幾乎是一個字未動，就在顯著版面發表了。

這一天是一九七九年的一月十日。這是中國報紙在清官遭到嚴酷討伐的十三年之後，第一次爲九百多年前的包拯公開平反。

富有戲劇性的是，就在《光明日報》爲包拯公開平反昭雪的第二天，即一九七九年一月十一日，中共中央向全國下達了《關於地主、富農分子摘帽問題和地富子女成分問題的決定》。

歷史上的包拯和今天的地主、富農分子，在同一時間被「摘帽」，包拯的子孫和地富的子女同時解決了「成分」問題，這種歷史的巧合，似乎只有來自喜劇作家的靈感，或出自詩人的浪漫，這既讓程如峰感到有說不出來的苦澀，卻也使他振奮。

18 海外來信

程如峰寫作的積極性調動起來了。很快地，他又把早已思慮了無數遍的〈解開包公墓之謎〉的文章寫了出來。因爲他是把它當作學術論文來寫的，完成後，便交給了《安徽大學學報》，不久也被採用。

打那以後，爲包公請命，還包公歷史眞面目，成了他生活中最重要的一件事。

一九八〇年金秋十月一個陽光燦爛的午後，程如峰剛走進修復中的明教寺。這時工地上已是熙熙攘攘，人來人往。一位郵遞員走過來，在他跟前停下，問他：「你是程如峰同志嗎？」

程如峰一邊點著頭，一邊問：「有我的掛號信？」

郵遞員從背著的信袋中抽出一封信，告訴他：「海外來的。」

「海外來的？」程如峰不敢相信，「你是不是鬧錯了人？」

「你不是程如峰嗎？」

郵遞員把信遞了過去。程如峰一看，沒錯，就是他的信。信封上除了他的姓名和地址寫的是中文，其餘全是外文。

拿著這封奇怪的來信，他好不納悶：究竟是從哪個國家寄來的？裡面又都寫了一些什麼呢？這麼多年，他一直慶幸自己沒有「海外關係」，因而在歷次的政治運動中避免了許多意想不到的麻煩，才平安無事地走到今天。可是，現在居然有人從海外給他寫來信，這豈不是會讓別人懷疑自己不老實，長期隱瞞不報嗎？雖說這時已在全國的糾正冤、假、錯案，但整人成癖者還大有人在，在沒鬧清信的虛實之前，他認爲還是持小心謹慎的態度爲好。

他將信原封不動地交給了文物處當時的負責人陳裕民。

陳裕民是位在抗戰初期就參加了革命的女同志，愛人曾被打成右派，她本人也在「文革」中被定爲叛徒，夫妻雙雙被當時的合肥工業大學「掃地出門」。現在，愛人右派分子的帽子才摘下不久，她也剛剛得到平反。程如峰把這樣的「海外來信」交給了她，她也感到十分爲難，就說：「我當著你的面，咱們先把信打開，看看什麼事再說。」

陳裕民拆開信封，竟掉出一張名片來。

原來是美國夏威夷大學馬幼垣教授寄來的。因爲這位美籍華人在信上使用的是中文，所以讀起來沒有一點語言障礙。他說，他看過中國的《光明日報》，讀到了程如峰的那篇〈合肥清理包公墓〉，知道程如峰是發掘包公墓的當事人，掌握了一整套的第一手資料。這則消息使他興奮良久，就開始到處打聽程的住址，好進一步地取得聯繫。恰好這期間《安徽大學學報》在《光明日報》上也刊登了一則廣告，公佈了他們近期發表的論文目錄，其中，又正好有程如峰的那篇〈解開包公墓之謎〉，這可把馬幼垣教授樂壞了。於是他按圖索驥，順藤摸瓜，立即給《安徽大學學報》編輯部寫信，了解到程如峰的通訊位址後，就直接把信寫來了。

陳裕民不敢做主，不知這樣的信能不能回，索要的包公墓資料該不該給。她喊來文物處的年輕人彭國維，讓他拿著這封信去請示市委宣傳部。

合肥市委宣傳部的副部長郭力如，聽了彙報，看了信，也犯起了躊躇。因爲大家都知道：「外事無大小」，宣傳部當然也就不敢隨便決定，不過，他倒也熱情，親自帶著彭國維，去省裡請示文物局。安徽省文物局局長洪沛，原就在省委統戰部工作過多年，涉外的事沒少接觸。他看完馬教授的來信，立即表態：「省文物局不提供此類資料！」但他又十分爽快地說明，「這封信是寫給程如峰個人的，他掌握的資料給還是不給，應該由他自己

決定。」

請示有了結果，這就是組織上不過問，一切由程如峰自行處理。程如峰哭笑不得。因爲他參加革命三十多年了，還從來沒有離開過組織一步，現在遇到這麼大一個事，市裡不表態，省局不過問，一切由他自個拿主張，他想，是政策眞的放開了？還是大家都在推諉？

這天，他偶然聽到一個消息，說不久前市裡成立了一個新機構：合肥市外事辦公室。他便抱著幾分僥倖的心理，決定去諮詢一次。爲不給領導添太多的麻煩，去前，他擬就了一個回信的草稿，他認爲這樣可以更加具體地聽到他們的意見。

外事辦公室主任王樹志，是個人高馬大、辦事幹練、思想解放的人，聽了程如峰的介紹之後，朗聲一笑，說道：「好事情！給你寫信，你就回。」

程如峰忙取出信：「請你看看，這樣回信好不好？」

王樹志搖著手，連連說道：「不必。不必。私人的信件我怎麼可以看？」

但程如峰還是掏出了自己寫好的信：「那請你給我把把政治關。」

王樹志奇怪地說：「個人通信自由嘛，把什麼關喲？」

現在回頭看這件事，似乎顯得很可笑，特別是年輕的讀者，會認爲是在小題大做，但

當時的社會背景就是這樣，不可名狀的「政治」滲透到了中國人生活的各個角落，弄得人人自危，難釋杯弓蛇影之虞。

程如峰回信的思想關算是過了，業務上的問題，他覺得還需要認眞對待。這時，「安徽省毛澤東思想萬歲館」已恢復成了先前的「安徽省博物館」。他又去館裡請教吳興漢：「可以把有關包公墓的資料寄到海外去嗎？」

吳興漢想了想說：「我們這個行當有個規矩，考古發掘，在發掘的報告沒有正式發表之前，資料一般是不向他人透露的，更別說透露到國外了。」

程如峰見吳興漢提到了一直在由他執筆的發掘報告，於是問：「何時能發表出來？」

「估計快了。」吳興漢說，「就發在最近一期《文物資料叢刊》上。但這是一個不定期的刊物，具體啥時出來，還說不準。」

程如峰回來後，便給馬幼垣教授回了信，並做了認眞說明，待正式的發掘報告一發表，他馬上就會寄一份過去。

一九八一年六月，程如峰從吳興漢那裡終於取到了發表日期爲一九八〇年五月、卻遲到了整整一年的《文物資料叢刊》，他立刻把有著包公墓群發掘報告的這期刊物，郵往了美國夏威夷大學。

刊物寄出後的不久，程如峰就先後收到馬教授寄來的香港和台灣地區的《中國時報》、《聯合報》，以及美國、加拿大、新加坡等許多國家的報紙雜誌。原來馬幼垣教授根據他郵去的那些資料，已經把中國有關包公墓群發掘的消息以及研究的成果，都披露給了海外華人。

程如峰爲馬幼垣教授提供了方便，馬教授也及時地給他反饋了國際上有關包公研究與傳播上的資訊，還特地寄來了他的新作：《中國小說史論集稿》。

讀了馬教授的書，程如峰才知道，馬幼垣原來是美國研究包公的專家，他獲得博士學位的論文，就是《「龍圖公案」考》。《「龍圖公案」考》的引文多達二十三種、一百二十多條，幾乎涉及到了中國的北京、上海、香港、台灣和日本東京等各大圖書館，其佔有資料之多，顯其功力之深，使程如峰方知天外有天！

長期以來，由於閉關鎖國，中國的老百姓，除了知道阿爾巴尼亞是「歐洲的一盞明燈」，中國是越南「遼闊的大後方」，蘇聯是翻了臉的「老大哥」；知道古巴有個卡斯楚、南斯拉夫有個鐵托、柬埔寨有個西哈努；知道朝鮮產蘋果、伊拉克產蜜棗，除此而外，對外面的世界幾乎一無所知！現在，程如峰只結識了一個馬幼垣，他的面前，就好像洞開了整個世界！他才知道，原來在國外研究包公的大有人在。包公早已經走出了國門。我們關

起門在這起勁地批判清官，可是清官包拯早已經在世界範圍產生了廣泛影響！

當然，包公的形象和故事，外面大多是通過文藝作品熟悉的。

早在鴉片戰爭時期，法國著名劇作家裘利安，就把包公戲《灰闌記》譯成了法文，把包拯介紹給了法國觀眾；後來，漢堡大學教授佛屋路凱又將法文譯成德文，使得中國的《灰闌記》，在德國贏得了知音；再後來，日本的新關博士又根據歐洲流行的譯文，譯成日文，從此，一代清官直臣包拯便越過中華大地，走向了世界。

朝鮮作家鶩溪萸將《三俠五義》改編成《包閻羅演義》，韓國鮮文大學朴在淵教授又把《包閻羅演義》校點後在韓國出版。《龍圖公案》一百多年前就被泰國翻譯過去，風行一時。美國南加利福尼亞州立大學教授喬治·海頓，也早把《陳州放糧》、《烏盆記》、《後庭花》三部包公戲譯成英文，系統地介紹給了美國讀者。漢學家特里克·海南教授還在這本書的前言中，盛讚包公的「剛正、勇氣和機智」，以及「將有權勢的惡人拉下馬」的勇敢精神。

▲包公晚年畫像，至今已 930 年左右，現存放在國家歷史博物館。

海外華僑就更是信奉包公，他們把包公作爲中華民族的傑出代表，藉以表達對故鄉的思念之情；同時還把包公作爲理想中的正直之神，到處立廟塑像，虔誠奉祀。近年來，澳門政府甚至形成專門的規定，把包公廟視爲重點文物受到法律保護。

說到台灣，早在清乾隆年間，台灣雲林縣便有了包公廟。經過二百多年的拓展壯大，現已廟貌恢弘，僅接待香客住宿的酒樓就有三千床位。高雄、桃園、彰化、南投、台中等地，均建有包公廟或包公會社團。以致包公的英靈普照寶島。

在世界七大洲的眾多國度，包公都有著極高的知名度，美國、日本、韓國、加拿大、義大利、德國、法國、泰國、菲律賓、馬來西亞、新加坡等國包公的研究工作，更是空前活躍。

程如峰了解到包公在世界範圍產生了如此廣泛的影響，更加深切地感受到，一個包公故鄉的文物工作者是多麼幸運和自豪，同時也感到了自己肩上應承擔的歷史責任。總之，他的勁頭更大，信心更足了，於是，萌生了一個大膽的設想。

19 一個不大不小的玩笑

一九七九年五月十二日，合肥市與日本久留米市結為友好城市。一九八〇年，在結成友好城市一週年之際，久留米市市長近見敏之率團來合肥訪問。他們知道合肥是著名的「三國故地、包拯家鄉」，就提出要看一看包拯和三國時期留下的遺跡。這讓合肥市委、市政府的領導很為難，因為作為「包拯家鄉」，僅有的包公祠和包公墓都遭到了徹底破壞，已無「跡」可看；作為「三國故地」，曾發生「張遼大戰逍遙津」的逍遙津雖然還在，卻早已失去了應有的特色，成了一座普通的公園。倒是明教寺的古建築群保留了下來，多虧了當年這地方被工廠和機關佔用了，佔用的地方雖然已被收回來，但也都正在修復之中。

於是只有請近見敏之一行去參觀正在修復中的明教寺。於是日本友人穿過密密麻麻的腳手架，來到大雄寶殿尚存的佛像前，點燃了「文革」以來的第一爐香。

日本友人的光臨，使得明教寺的修復工作加快了。這年九月底，便圓滿完成。同時，

合肥出土文物陳列展也佈置停當。十月一日，第一批前來觀光的，仍是日本久留米市的客人。這次是議長黃木良人率領的三十六人代表團。十月二日，才正式對外開放。

因爲這麼多年以來，一座城市的上百萬市民，再沒有見到過與各種運動無關的「陳列」或是「展覽」了，因此，公開開放的第一天，明教寺的門前，人山人海。事先設置的四個售票亭，不到十分鐘全被擠垮。被擠得東倒西歪的人群很快失控。由於公安民警的及時趕到，並果斷地宣佈一切活動暫停舉行，才避免了一場可怕的重大傷亡事件的發生。

直到了十月四日，明教寺才敢悄悄向外售票。但風聲還是傳了出去，寺內寺外，依然是人頭攢動，一日之內竟接待了兩萬三千八百餘人。

這幾件事，對程如峰來說，感慨頗多，刻骨銘心。這使他看到，經過令人窒息的十年動亂，人們多麼渴望呼吸新鮮的空氣；同時也表明，文化遺產、人文景觀，對提升一座城市的文明程度和精神面貌，又是多麼至關重要！

這期間，合肥市委副書記丁之、科委主任徐獲、建委主任陳衡等人回訪久留米。回來後，向市直機關幹部做了一次訪日報告。談到日本非常重視名勝古跡，特別強調保持原貌，不允許任何人以任何藉口輕易改動。說福岡市有座七百年歷史的太宰府遺址，其實只剩下排列有序的石礎和零星殘缺的石柱了，但他們仍原樣不動地保護起來。儘管日本的地

皮十分緊張，甚至達到「寸土寸金」，但太宰府遺址不准佔用，是受到法律保護的。現在遺址旁邊按照柱子的排列，復原了一座太宰府模型供人對照和遊覽，而不是鏟掉一處眞遺跡，找個地方再造一個假古董。日本的中學生在高中階段，學校就會專門安排時間，讓學生免費參觀重要的名勝古跡，以提高本民族的自尊心。

這些話，對程如峰觸動很大。他想，「文革」期間，中國的公民，尤其是涉世不深的中學生，甚至包括大學生，在破「四舊」的口號下，歇斯底里地去破壞中華民族五千年所創造出的那些文化瑰寶，其損失，是中國歷史上任何一場戰爭造成的破壞都無法比擬的！

當然，程如峰也受到了一次極大的鼓舞，他預感到，中國文物事業的又一個春天或許就要到來了。

想到這些，他竟心旌搖動，興奮不已，提筆給丁之副書記寫了一封人民來信。萬變不離其宗，他信中的內容依然是念念不忘的包公，他迫切盼望合肥市人民政府能將包公祠也修復好，把包河公園進一步地建設好。

不能說丁之對這封信不重視。接信後不久，他就作了批示。他把信批給了市政協。

爲什麼要把有關包河公園建設的信，批給政協？程如峰至今弄不懂。丁之已經去世，這事我們也無法再去查實。也許，他只是文教書記，公園建設這一類事情不是他可以解決

的，程如峰本來就不該將這樣的建議寫給他。也許，他負責的文口，連個油印的刊物也沒有，政協卻有個很不錯的雜誌。事實是，丁之把信批給政協，程如峰有關包河公園建設的第一次獻言，就被公開發表在了《合肥政協》雜誌上。這一點，程如峰還是感激的，因爲他畢竟沒有白忙一場。

當然，事情遠不如程如峰想像得這樣簡單。

一場「文化大革命」，鬧騰了整整十年，如今沒誰再提包公是「牛鬼蛇神」，甚至說他比貪官還壞。但是，誰都知道，歷史上關心包公，重修了包公祠的，不是別人，正是李鴻章。說李鴻章是賣國賊，至少當時還沒誰站出來反對。改革開放了，大家都在大幹現代化，可以說，百廢待興，啥事不能幹，幹嗎非得去幹歷史上賣國賊起勁幹過的事？

包河公園是要建設，究竟如何建設，管這事的自有主張，不可能會受到程如峰「建議」的影響。他們不僅早就在包河公園旁邊建造起了一個大型的「太空船」，「電動馬遊戲場」的工程也正在積極地籌備之中，接著，「港商願意捐錢在包公祠蓋個大酒店」的風聲也就傳出來了。

程如峰開始還有些不信，經過四處打聽，他終於從副市長吳翼那裡，獲悉有關領導確有「把包河建設成爲現代化公園」的意圖；又在省政協副主席潘鍔章處得知，包公二十九

世孫、世界著名船王包玉剛已經打算捐資的準確消息。

他差不多驚呆了。

本來，作爲省級重點文物保護單位的包公祠，在合肥市已經有了專業文物部門的情況下，就應該將它交給文物部門管理，這才合理合法。但合肥偏偏不是這樣，把它劃給了園林局。這樣一來，園林系統就名正言順地，按照他們園林建設的思路，去搞一些與文物，甚至與文化都毫不相干的娛樂遊戲設施。這就從根本上改變了包河公園幾百年來所營造出的那樣一種歷史文化的氛圍。許多市民對此意見很大，卻又無能爲力。

別人可以袖手旁觀，可以熟視無睹，可以不聞不問，程如峰作爲合肥市有史以來的第一個文物幹部，卻坐不住了，他非要問個水落石出不可。

「包河公園不歸你們管，你老程又不是什麼領導，你操哪門子心？」有位朋友好言相告，「何必跟自己過不去？弄不好，到頭來落得個老公公背兒媳過河——出力不討好，這是何苦！」

也有人說：「如今姓『圓』的，姓『胡』的幹部，多的是，幹的不如看的，看的不如搗蛋的，你幹嗎光著腦殼往刺棵裡鑽？」

程如峰知道，朋友們說的都是實話。但包河、包公祠，不光屬於合肥市，它已經成了

我們民族重要的文化遺產，成爲吸引炎黃子孫的一個難得的磁場；再說文物一旦被毀壞，就將永遠喪失！

他提筆給市委書記鄭銳寫了一封信。他在信中明確指出，包公祠作爲省級文物保護單位，劃歸園林局是不應該的；園林部門在包河搞的那個「太空船」，已經與包公祠很不協調，如果還要進一步把包河建設成爲一個「現代化的大公園」，其結果，必然是對民族文化和寶貴的旅遊資源的破壞。

信發出不長時間，「太空船」被停止了營業，「電動馬遊戲場」也改建到了別處。儘管包公祠劃歸文物部門一事沒有絲毫進展，但看見自己的心血到底沒有白費，畢竟還是解決了兩個具體的問題，程如峰的信心由此增加了不少。

於是他想，翻來覆去老講包公的重要性，這已經不夠了，必須拿出一個讓人信服的規劃性的意見，供領導決策時參考。於是，他開始一次次地往包河的三島——香花墩、中島和東大島跑。他發現，東大島一帶面積很大，但由於東面的道路未打通，地勢偏僻，因此至今荊棘叢生，可以進一步開發。恰在這時，有人提出要在包河修建一座包公紀念館，這事引起了他極大的興趣。當然，他感興趣的，並不在建造包公紀念館，而是這個消息引發了他一個大膽的設想。

他的這個設想，就是在包河公園東大島一帶重建一座包公墓！

就是說，按照北宋時期的建築特色，讓包公墓「重見天日」。包河公園西邊的香花墩上已有包公祠，東大島這邊再有包公墓，祠堂與公墓隔水相望，又因中島而彼此呼應，只要對中島稍加改造，包河公園的歷史文化氛圍不僅會變得更加濃郁，也顯得蔚然大氣，渾然一體。

想到這些，程如峰激動起來。

他認爲，在此建一座紀念館，非但毫無新意，建成後也肯定會流於一般。因爲包公生前任過職的地方很多，南自端州（今廣東肇慶），北至雄州（今河北雄縣），西起京兆府（今陝西西安），東到江寧府（今江蘇南京），大家都可以建。這裡已經有了包公祠，再去建個紀念館，就根本沒有必要。而重建包公墓，卻佔盡天下優勢，更何況這方面的條件都已經具備。

程如峰將他的這個建議寫好之後，直接交到了市委宣傳部。可是，時間一天天過去，他的有關重建包公墓的獻言，有如石沉大海。

程如峰十分不甘心，他寫了篇小文章：〈希望修復包公墓〉，發表在《合肥晚報》上。那時他還在明教寺辦公，因爲明教寺又被稱作「教弩台」，所以他那篇短文的署名就用

了教弩台的諧音「趙弩點」。「弩點」指的是笨馬，用以自嘲。

他假以「局外人」的口吻，在文章中寫道：

我熱愛祖國的壯麗河山和燦爛文化。到曲阜看到了孔廟、孔府、孔林，我感到很滿足；在杭州看到岳飛墓，心裡也有說不出的激動；到合肥來，就是想看看包公祠、包公墓的，一打聽，包公墓被挖掉了，包公祠卻是空空的，心裡很不是滋味。聽說包公墓裡曾出土了許多珍貴的文物，爲什麼不擺出來給大家看看，人民政府，難道對自己的人民也要「保密」嗎？

鐵面無私的包公早已家喻户曉，描寫他的小說、戲劇譯成多種外文，流行於世界，各國的華僑對包公十分尊敬。合肥是包公的家鄉，包公是合肥的驕傲，我希望合肥也能把在「文革」中慘遭破壞的包公墓重新修復起來，這應該是有著一定意義的事情。

文章見報後，反響不小，支持者相當多。當然，持反對意見的人也不少，他們認爲這是「故態復萌」，是在沒事找事；認爲重修包公墓是與社會主義精神文明格格不入，是在爲封建階級招魂張目。有許多人，甚或是被看作專家一類的人，他們在肯定包拯的人品和政

績的同時，也是還要加上一句，說他是站在封建統治階級立場的，是爲了鞏固北宋王朝的統治，是爲維護本階級的利益出發的。

程如峰沒有輕看反對者的意見。甚至意識到，他的建議書所以會被卡，其原因，也正是由於這些意見的存在。

一九八一年八月十四日，程如峰寫出重建包公墓的意見書，一九八二年十一月二十四日，他正式辦理了離休手續。在這漫長的一年零三個多月的時間，他的建議如泥牛入海。沒有人再向他反饋過意見，他也打聽不到絲毫的消息。有人奉勸他，不要再打聽上面對這事的態度了。沒有態度，其實就是一種態度。

然而，具有諷刺意味的是，出土過包公墓誌、發掘出了包公遺骨，又是包公家鄉的安徽省合肥市，包公墓不見蹤影；而河南省鞏義市，卻於一九八二年二月二十五日，經國務院批准，將那座包公衣冠墓，正式公佈爲「國家重點文物保護單位」。

這種陰差陽錯，同包公的家鄉開了一個不大不小的玩笑！

20 燃起心中的聖火

一九八二年，是程如峰一生中出現重大轉折的一年。女兒程紅中學畢業找不到工作，他只好選擇了離崗讓孩子頂替。爲此提前了四年時間。

他準備離職的消息一傳出，好多領導、朋友紛紛發出邀請。有請他去市文聯書法家協會幫助工作的，有請他到省文聯、省文史館的一些編輯部去當編輯的；更有甚者，他家鄉霍山縣一位副縣長，帶著文化局長和地方志辦公室的領導，三次找到他的家，請他去主編《霍山縣志》。所有這些，都是有償的，而且，待遇不菲。他子女多，花銷大，家中的收支常常失衡，有時爲節約幾分錢，他寧肯走路也不去坐公共汽車。能多一份收入，多好！

可是，他婉轉地謝絕了一切邀請，沉浸於包公墓的研究中。他要努力弄清包公墓地面原貌，爲終有一天會重修的包公墓做準備。

當包公墓地上地下的所有構造都了然於胸之後，他又擔心起包公的遺骨來了。包公的

遺骨原是分爲兩處。一是由省博物館方篤生寄往中國科學院古脊椎動物與古人類研究所去鑑定的那一部分。當時是把一號墓的部分碎骨，特別是頭骨的碎片單獨存放的。原有三十四塊，後來有一塊折斷，就變成了三十五塊。專家鑑定後，已全部從北京郵回。現在還在不在呢？另外部分在清理包公墓的當年，被裝進了那一口木棺匣子。包義旭和包遵元都曾悄悄告訴過他：「木棺中的包公遺骨，已經偷偷送回大包村安葬了。」一晃，八九年過去了，如今遺骨究竟葬在哪兒？這些他都必須搞搞清楚，事先做到心中有數。

因爲有了包公的遺骨，重建包公墓才能是名正言順的「遷安」，才是實實在在的包公遷葬墓，它的歷史地位和社會影響，才能不亞於眞正的包公墓。假如沒有遺骨，性質就完全不同，它甚至連衣冠墓也不如。說白了，就等於是在造假墓，那將毫無實際價值。

他首先找到了吳興漢。

吳興漢說：「在文物這一行，有個不成文的規定，除古人類骨骼化石外，所有的人骨都被看作是自然物，不算是文物，一律不予保存。所以從北京郵回來的包公遺骨，當時也就沒有在博物館裡入庫。」

程如峰一聽，吃驚不小：「這麼說，現在沒有了？」

吳興漢笑著說：「我哪敢隨隨便便處理了？當時用牛皮紙信封裝著，留了下來。」

程如峰鬆了一口氣，忙問：「現在放在哪裡了？」

吳興漢走到一個放滿了雜亂無章的盆盆罐罐的文物櫥架前，找出了那個牛皮紙信封。程如峰才發現，不僅包公的遺骨在，當年從北京郵回遺骨包裝用的木盒子也還在。程如峰把盛有包公遺骨的那個牛皮紙信封，乾脆還裝入盒中，對吳興漢說道：「我想研究一下包公的遺骨。」

「那你拿去吧。」吳興漢也很爽快，因爲他一直就認爲它不是文物，博物館不是久放之地。

也許程如峰算不得一個嚴格意義上的文物工作者吧，他卻如獲至寶地將包公遺骨拿回了家。拿到家中，又怕家人給當作廢物扔掉了，就又細心地將它包裹好之後，藏入箱底，並在箱子上加了把鎖。

他相信，一旦重建包公墓的事夢想成眞，包公的遺骨就比什麼都重要了。

接下來，他要搞清楚另一部分遺骨的下落。他決定到大包村跑一趟。那時，每天傍晚都有一班軍民兩用的班車由合肥開往闞集，闞集離大包村就已經不遠了。記得一九七三年那次送包公遺骨去大包村後，他和吳興漢步行去看包公誕生地小包村時，最後就是在闞集投宿的。社員們捧著碗蹲在門外吸吸溜溜喝稀飯的情景，給他留下了很深的印象。當時口

糧還是定量的，鎮上一家小飯店只有在趕集時才開一次門，平日都是鐵將軍把門。他和吳興漢雖然隨身都帶有錢和糧票，也只得餓肚子。供銷社的同志看他們是省、市來的幹部，就特別照顧，免票供應了一斤雞蛋，使他們激動得受寵若驚。要知道，一斤雞蛋，相當他們在城裡一個月的定量啊。

程如峰這次一上班車，就和同座的一位軍人談起在闞集經歷的舊事。軍人笑了起來，說：「包產到戶，闞集早變了樣了，現在還有誰去喝稀溜溜的稀飯？」

他問供銷社還可以住人嗎？軍人告訴他，如今闞集建了一個部隊招待所，條件不比城裡差。

興許由於程如峰也穿了一身舊軍裝，所以在車上和幾位軍人很快鬧熟，一下車，他們便熱情地給程如峰帶路。藉著迷濛的月色，他們走上了一條崎嶇的山間小路，使程如峰如入「不見青山面，但聞流水聲」的境地。不一會兒，眼前就出現了兩盞燈火。不用問，那就是軍人招待所了。離開部隊二十六年了，想不到去大包村途中的這一夜，他又找回了一名軍人的感覺。

第二天一大早，他感到格外精神，覺得年輕了許多。他迎著新鮮的朝陽，穿過田壟，直奔小包村。路過鳳凰山下的時候，他不禁愣住了：他清楚地記得，一九七三年打這經過

時，曾穿過了一片小樹林，透過密密麻麻的樹林，可以看到山坡上羅列著的十三個大墳包，墳包上長著灌木和雜草，顯得特別醒目。現在這些東西全沒有了，全成了耕地。那些大墳包可是包公的祖墳啊，怎麼能這樣隨隨便便地平掉呢？

到了大包村，他的憂慮依然沒有消除。那些熟悉的雜亂無章的村舍，坑坑窪窪積滿污水的道路，並沒有多大改變。他的心打鼓：被偷偷安葬的包公的墳包，是否也因爲包產到戶而從此消失了呢？

大隊長包先長見到程如峰，老遠就眉開眼笑。程如峰握著包先長的手，問道：「那一年爲迎包公遺骨回鄉，你沒少挨整吧？」

「嗨，」包先長不堪回首地搖著頭，「你說呢，挨批鬥，那還只是小菜一碟，縣廣播站一天幾遍地指名道姓批我搞封建宗族迷信活動，最後被停職。」

程如峰說：「這不給你平反了，『官』復原職了。」

包先長笑著用當地土話自嘲道：「名譽是恢復啦，可尿都給把掉了！」

兩人不禁相對大笑。一陣寒暄之後，程如峰趕忙問：「包公墓也平安無事吧？」包先長停下笑，不由一怔。他顯然沒聽懂程如峰話裡的意思。

程如峰緊張起來：「包公遺骨不是以後又送回來了嗎？」

包公遺骨重又送回大包村埋葬，包先長還是第一次聽說，他奇怪地望著程如峰：「你說的這事，我什麼也不知道。」

程如峰只覺得心往下沉：「這怎麼可能？」

話雖是這麼說，不過，他猛地領悟到，大包村的包氏後裔肯定是被運動整怕了，參與安葬包公遺骨的人，怕再連累這位大隊長，乾脆避開了他，這事壓根兒就沒告訴過他。

想到這，程如峰直敲自己腦袋：

「這事我太大意了，來前，我應該先去問一下包義旭和包遵元。」他解釋說，「一九七三年，包義旭和包遵元都悄悄告訴過我，他們趁大包村的人去合肥買飼料，叫人偷偷把那些木匣子放在板車上，讓小毛驢拉了回來。」

「你讓我想想，進城買飼料……小板車，小毛驢……」包先長猛地一拍巴掌，「我帶你去找找知情人。」

他們一道走出村子。在一個田壟上，包先長停下來，粗聲粗氣地喊一位在田裡幹活的半百老人：「聾子，上來一下！」

那人微微轉回頭，不慌不忙地用溝裡的水洗去腳上的泥土，然後走上田壟，套上草鞋，一聲不吭地走過來。包先長對程如峰說：「他叫包先正，耳朵有點背，跟他說話要大

叫；人非常忠厚，進城裡買飼料，他去的最多。」

包先正走到跟前，也不言語，對程如峰笑了笑，算是有禮了。

包先長湊近他的耳朵大聲介紹說：「他姓程，合肥來的。」

包先正點點頭，終於開口說話：「我知道，老祖先的遺骨就是他送來的，那頓午飯是在大隊會計包遵國家吃的。」

程如峰不由一驚。他沒有想到，對方的記憶力這樣好。八九年前不過是匆匆見了一面，他竟然就記住了。

包先長高聲大嗓門地說：「你認得就更好，他專門跑來，就是要了解老祖宗葬在什麼地方。這事你知道嗎？」

包先正又認真看了看程如峰，有些木訥地點了點頭，然後就一聲不吭地沿著田壟向鳳凰山方向走去。程如峰見這情景，知道找對了人，高興地跟了上去。

包先長本來只是估計進城買飼料的人中可能會有包先正，不曾想把老祖宗遺骨拉回來偷埋的事他還真的清楚。想想這消息，居然對他也封鎖了八九年，不覺苦笑著搖著頭，一邊跟上去，一邊嗔道：「這個死聾子，說你忠厚，可花花腸子還有！」

他們翻過一個小山丘，又穿過一段平地，便看到山坡上荒塚累累。包先長告訴程如

峰：「這是我們村規劃的公共墓地。」

他指著墓地邊緣一座稍大一點的墳頭說：「那是包公父親令儀公的墓。那墓一九五三年遷到這裡，政府還發放了遷葬費，誰也沒說半個不字；這回包公遺骨，我們本來就打算埋在令儀公墳的旁邊。後面的山頭就叫龍山，原想父子雙雙長眠在龍山腳下，眼看著後人們生息、繁衍，幸福勞動，該有多好！誰知道會遭到這樣大的折磨！」

程如峰下意識地停下片刻，望著不遠處看不出絲毫特別的令儀公的墳頭。突然，他的思緒被大聲的吆喝打斷，原來包先長在問包先正：「聾子！你把老祖宗埋到哪裡去了？」

包先正肯定聽到了，但他既沒回頭，也沒停步，自管自顧地進入墓區。走到一座枯草蓬鬆的小土堆前，不緊不慢地說：「這就是。」

「你沒認錯吧？」包先長半信半疑地看著並不起眼的小土堆，「這一片，亂糟糟的，看上去全都差不多。」

包先正扶著一棵已躥有人高的小樹道：「這是我去年栽的，留有記號。」

程如峰打量著包先正那豐滿、憨厚、表情不多的臉，覺得他一點不笨，倒很有點大智若愚。他忽然想起佛家的一句梵語：「一滴水怎樣才能不乾？那就把它放進大海裡去。」

包先正把包公的遺骨放在了家鄉的群墓叢中，正如把一滴水放進大海裡，只要不被人知

曉，即便人世間發生了天翻地覆的巨變，他也是完全可以安息的！

當然，包先正和包先長都不可能想得到，程如峰也沒有暗示他此行的目的，其實是要給包公再造一座新地宮。正因爲他沒有把這一層意思挑明，幾年以後，他將後悔不已，以致遺恨終身。

然而，也許是天意，那天，程如峰還做了一件很聰明的事：他請包先正和包先長二人坐在包公墓前拍了一張照片。這既是爲了紀念，更是爲留下一個標識和見證。

程如峰沒有料到，這張照片竟成了「聾子」包先正生前最後的「絕影」。假如沒有這張照片，或者說沒有這次考察，藏在大包村龍山亂墓叢中的這座包公墓，將永遠成爲一個秘密。

21 重建包公墓

程如峰呈遞給合肥市建議重建包公墓的報告，已經過去三個年頭了，卻猶如水銀潑地，無聲無息。但是，到了一九八四年九月十五日，情況就發生了突然的變化，建墓之事一個早上便浮出水面。

事情的轉機，可以說是十分偶然的。它來自《合肥晚報》的一則通訊，通訊是該報記者寫的一篇「本報專稿」：〈包公遺骨偷葬記〉。看得出，記者訪問到了包公三十四世孫包遵元，他用流暢、生動而形象的筆觸，將發生在「十年浩劫」中那驚心動魄的一幕，描述得令人扼腕嗟歎。也許記者不可能有更多的時間對所有的當事人展開調查，有些故事並不知情，至關重要的包先正的名字並沒有在文章中出現。

《合肥晚報》是合肥市委的機關報，發行量不小，它將這樁陳年舊事重新提起，在合肥地區引起強烈反響，並且它驚動了當時的安徽省委書記黃璜。

黃璜給才上任不久的合肥市市長張大爲寫了一封信：

大爲同志：

據晚報披露，包公墓至今未能遷安，似不甚妥。請你告有關部門，抓緊處理，可在包河選一適當的地點安葬，費用由省或市承擔。

致禮！

黃璜

一九八四年九月二十五日

黃璜批示的意見雖然不足五十個字，卻把那些最重要的事情全提到了。「包公墓至今未能遷安，似不甚妥。」這裡已經有了態度，而且，旗幟鮮明。接下去，就對有關的時間、地點、經費幾大問題，都作了說明，並且十分具體：時間上要求「抓緊處理」；地點就定在「包河」；至於費用「由省或市承擔」。

合肥市市長張大爲，在接到黃璜信的當天，立即就把這事具體落實到了副市長吳翼、

宣傳部長李之朴和統戰部長周軍三人身上，並再三吩咐：「一定要把事情辦理妥切。」

程如峰得到以上消息時，喜出望外。又聽說由吳翼副市長來主持遷墓工作，更是高興。吳翼是知名的園藝專家，合肥之所以能同北京、珠海一起被評爲中國首批「園林城市」，這是與他的遠見卓識和創造性的工作分不開的。過去，他曾經兩次接觸過吳翼。一次是去吳翼家詢問三十里崗「三國時合肥新城」是否有開發價値。他事先並沒有打招呼，是突然闖去的，當時吳翼還是園林局的高級工程師，卻是很熱情地接待了這位不速之客，並認眞聽他介紹了「三國新城」的歷史情況。那次，怎麼也沒想到，吳翼第二天就要了部車，叫他帶路，還把園林局長丁舜也喊上，直奔三十里崗去看現場。

一次是市建委在包公祠座談包河公園的綠化問題。會上，吳翼作爲園林專家，從園林工程的角度，極力推崇廣種樟樹。吳翼強調樟樹樹齡長，覆蓋面大，四季常青，既散發出芳香，又可驅趕蚊蟲，屬名貴品種。他的發言結束後，沒人不說種樟樹好，惟獨程如峰在會上唱了反調。他的發言主要側重在文化和綠化的關聯上，他建議種柏樹，柏樹枝幹挺拔，鬱鬱蔥蔥，凌霜傲雪，生氣盎然，象徵著堅貞高尙的品格和參天正氣。他還借用杜甫〈蜀相〉中著名的兩句詩：「丞相祠堂何處尋？錦官城外柏森森。」來說明包河公園的綠化應具有的歷史文化特色。

包河正因爲有了包公祠，才名播天下，程如峰從歷史文化的角度提出柏樹，並恰如其分地引用了杜甫的名句，這就比單純從園林角度處理包河的綠化，更富內涵，也顯得更爲貼切。雖然並沒有人在會上公開支持程如峰的意見，但吳翼還是顯出幾分尷尬。

不曾想，程如峰剛剛離休居家，已擔任合肥市副市長的吳翼，在逍遙津公園的「藏幽園」竣工邀請省市著名作家、藝術家座談景點的命名時，卻特別提出一定要請程如峰到場。吳翼非但不計前嫌，還到處說：「程如峰在歷史文化方面很有研究。」

程如峰是個「不跑（路子）不送（禮）」的人，一向潔身自好。這次聽說重建包公墓的工作由吳翼主持，就按捺不住內心的衝動，全不顧知識分子的「斯文」和「清高」，跑到了市政府，他要向吳翼副市長毛遂自薦，主動請纓了。

他事先寫好了包公墓重建的兩種方案：一是按照北宋時的最初佈局；二是按照金兵破壞後的南宋佈局。兩種方案，也還有兩種修建辦法：一是僅建地上的部分；二是地上地下的部分全都復建。

這天，他終於見到了吳翼，並向吳翼和盤托出了他的全部設想。

吳翼顯然有些意外。他沒想到程如峰對包公墓的研究有這麼深。聽了程如峰的介紹，他也才知道，這裡面的學問原來大得很。在這之前，他對包公墓幾乎一無所知，以爲蓋幾

棟房子，築一個墳包就算完事了。

他一直聚精會神地聽著，不時讚許地點著頭，有時還記上一句兩句，他簡直聽得入迷了。

結束這次談話時，吳翼鄭重其事地對程如峰說：「就這麼決定了，我聘請你參加重建包公墓的工作。」

這正是程如峰夢寐以求的事情，他居然激動得像一個年輕人：「領導上既然信得過我，我一定全力以赴！」

激動歸激動，忽然想起三年前自己遞上去的那份建議書，他仍然耿耿於懷，便問吳翼看過沒有？吳翼想了想，說：「我那時還在園林局，市裡從沒轉過這樣的材料。如果你還有，下次送給我看看。」

程如峰回來後，很快找出當年那份建議書的底稿，複印了一份，轉交給了吳翼。吳翼確實是個急性子，看罷建議書，立即邀上宣傳部長李之朴、統戰部長周軍，連同文化局文物處的幾位幹部，按照程如峰建議書上提到的包河三島，進行了一次實地考察。

吳翼首先發現，把墓建在東大島上是不妥當的，他說：「這島我們已經把它作爲『浮莊』景點。再說把墓建在島上，水漲時半截淹沒在水裡，是沒有道理的。」

程如峰一聽，自己先不好意思地笑起來。是呀，道理其實十分簡單，簡單得就像一層薄薄的紙，一點即透。他當時的思路全圍繞在三個島上打圈圈，確實把水的因素給忽視了。

吳翼馬上又表揚了他一句：「三年前，你老程就想到要修包公墓，可也不簡單。」

大家談笑著，來到了東大島浮莊的小樓上，目光越過波光粼粼的河面，向南望去，不覺眼前一亮：南岸地勢高亢，秀木成林，遮天蔽日。程如峰首先喊出聲：「就那塊地方好！」

大家細細觀察，越看越覺得包公墓非此莫屬。

於是大家步出浮莊，爬上崗頭，在林中四處察看。此時，殘陽斜映，餘霞彩帶，周遭寂靜無聲。有人脫口叫道：「妙！」

立於崗頭，俯視包河，綠波蕩漾，西望包公祠，遙相呼應；南接蕪湖路、東鄰馬鞍山路，交通極其方便。遠眺蜀山，近濱淝水，以包河為特色的這片如畫山水，奠定於明代，至今已逾五百年。把這裡作為包公再次長眠之所，確實最理想不過。

首次勘察，大家便取得一致共識，吳翼高興地說：「開端良好。」

這年年底，程如峰從吳翼副市長手裡接過了合肥市人民政府聘請他為籌建包拯墓領導

小組成員的《聘書》。

有了省委書記的關注，什麼事情都順風順水了。這以後不久，合肥市政府就向全市人民莊重宣佈：一九八五年爲民要辦的十五件好事，其中第六件便是「按宋朝陵墓的格局和規模修建包公墓」。

程如峰接受的第一個任務，就是去一趟南京，把自己那份「按宋朝陵墓的格局和規模修建包公墓」所撰寫的《考察報告》，送給南京工學院潘谷西教授，徵求潘教授的意見。潘谷西是國內著名的古建築專家，經他設計的風格各異的仿古建築，幾乎遍及各地。程如峰覺得這是一次美差，接到吳翼的通知後當即就趕往南京。到達南京工學院的當天晚上，他就登門拜訪潘谷西。

潘教授住在學校一幢普通宿舍樓的二樓，房間不大，總面積不過五十多平公尺。好在是獨立單元，不像筒子樓那樣常遭左鄰右舍的干擾。會客室不足十平公尺，實際上還兼做工作室。在長期處於封閉的過去，人們縱向聯繫多、橫向聯繫少，會客往往成爲挨整的口實。那時建築設計上哪裡會有「會客」一詞呢？

潘教授在只有十平公尺的會客室兼工作室裡擺滿了書櫥、寫字檯、茶儿、長靠背椅，

整間屋子格外狹窄局促。也許正因爲如此，在有限的空間裡竟大大濃縮了中國傳統文化的特有品位，櫥、桌、幾、椅，均爲棕紅色，顯得和諧、氣派而又凝重。茶几上一把紫砂小茶壺和四個帶有托盤的小茶杯，也與周圍的色調渾然一體，使得江南書香門第的高雅品位盡顯其中。

方寸之地，卻營造得如此典雅，足見古建築家的機巧與心智。

潘谷西認眞看了程如峰撰寫的《考察報告》後，對程如峰多年研究的成果高度讚賞。他說有了這些來自現場的第一手資料，以及大量的對史、典、志、譜的最可靠的考證，他設計起來就能做到心中有數了。

程如峰有個鑽書店的愛好。從南京回來後，他又去「泡」新華書店，竟意外地發現一本《中國古代陵寢制度史研究》。這是上海復旦大學楊寬教授用在日本講學時的講稿編纂成的。他看到這本書時，激動得心跳過速，不能自已。

他把那書買回家後，閉門不出，晝夜研讀。邊讀，邊自言自語道：「太好了。太及時了。太有緣分了。」

原來這位楊寬教授，近年就在致力於研究歷代帝王陵寢制度的由來與發展，同時也在探究王公大臣墓葬制度的傳承和變化。尤其是對唐、宋大臣墓葬建築的佈局，諸如石像生

的品種、體形、排列順序，墳頭的形式和高度等等，闡述得尤爲詳盡與具體。

這本書把程如峰的感性認識昇華到了理論的高度，也使他多年研究的成果獲得一次最具權威性的印證。當然，也更大大地拓展了他的視野，並從中獲取到大量的新鮮的知識與信息。

例如「闕」，他原先確實沒想到，但楊寬明確提到了「闕」，使他聯想到《盧州府志》記載明代的包公墓時就有「地名雙闕」一詞。當時他並不明白「雙闕」爲何物。現在終於清楚了，原來是作瞭望與守衛之用，後來便逐漸演化爲普遍使用的裝飾物。而且，「闕」的前面一般還有「罘罳」網狀的屏風。他認爲，籌建中的包公墓似乎也應該增加這些設施，以作爲兆域的開始，這樣佈局才顯完整。

總之這本書對於重建包公墓有著至關重要的現實意義，程如峰不僅自己通讀了，又跑到書店買了十多本，讓工作人員人手一冊，他還專門趕到南京，送給潘谷西一本。

潘教授讀了《中國古代陵寢制度史研究》，也是如獲至寶。他搞過許許多多的古建築設計了，但接手包公墓園，來完成這樣一座古代陵寢有關的建築設計，還是頭一遭。他把自己帶的研究生蔣劍雲交給了程如峰，委託程如峰攜帶他剛剛設計出來的圖紙，專程跑一趟上海，去復旦大學當面請教楊寬教授。

程如峰和蔣劍雲趕到上海時，事不湊巧，楊寬到美國講學去了。短時間內不大可能回國，二人只得悵然而返。

一九八五年十月六日上午，包河公園失去了往日的寧靜，到處閃動著歡樂的人群。合肥市重建包孝肅公墓奠基典禮在這裡舉行。市委書記楊永良、市長周本模，以及黨政軍有關領導、人民團體和社會各界的代表二百餘人，出席了這次典禮儀式。氣氛熱烈、隆重、莊嚴而簡樸。

▲包拯夫婦遷葬墓清理情況

省市報社、電台、電視台的記者都作了現場採訪，奇怪的是，這麼一件轟動合肥地區的大事，安徽省和合肥市所有到會的新聞媒體，卻沒有發表出來一個字，無一例外地全都保持了沉默。倒是千里之外的上海《新民晚報》，當天搶了一條「獨家新聞」。

這件事讓程如峰感到十分詫異。

於是他又想起了十二年前，發掘包公墓的時候圍觀者也是成千上萬，報紙電台（電視還沒飛入尋常百姓家）

卻也是諱莫如深。那是處在一種是非顛倒的荒誕的年代，一切都能夠理解。現在呢，改革開放已是第七個年頭了，包公不僅已經平反昭雪，又成了人民群眾心目中懲惡揚善扶危濟困的英雄，何況，奠基典禮開得那樣熱鬧，爲什麼要把消息封殺掉呢？

可以得到的解釋是：撥亂反正之後，各地紛紛爲歷史人物甄別，一時修墓成風，上面打了招呼，不宜多做宣傳。

這就怪了，既然這事與上面的精神相悖，爲什麼又要驚動那麼多人，弄個奠基典禮呢？《新民晚報》就不怕違背上面的精神了嗎？

據說，重建包公墓一事，緣於省委書記黃璜給合肥市長張大爲寫的一封信，所以被視爲「黃璜工程」，如今，黃璜調走了，主事的張大爲也出事了，包公墓的重建也就有了些忌諱。不過，這樣的「據說」多少都有民間傳說意味，無法考證眞僞。

程如峰又一次難過——替包公難過。

程如峰帶著疑問，專門拜訪了新華社安徽分社社長宣奉華。宣奉華聽了事情的原委，也感到奇怪：「包公是受世人尊敬的人物，給他建墓，遷安遺骨，是好事情，爲什麼不能報導？」

「我看可以。」宣奉華說，「你先寫個初稿交給我，我來處理。文字不要太長，要抓

住要領。」

程如峰回來後經過一番推敲，決定避開「奠基典禮」這件事，而是客觀地告訴大家重建包公墓的原因，和將要建造一個什麼樣的包公墓。想定之後，他就簡明扼要地寫了二三百字。

宣奉華看了，稍作修改後就用傳眞發給了北京，當天就發表了。標題一目了然：〈安徽重建宋代清官包拯墓〉。

宣奉華是個辦事認眞又細心的人，當這篇稿件在外邊引起強烈反響、紛紛轉載之後，她又給程如峰當時所在的合肥市重建包公墓委員會，寫了一封公函，告之重建包拯墓的稿件，已先後由香港、澳門的《信報》、《商報》、《晶報》、《申報》、《文匯報》、《天天日報》、《澳門日報》刊用，美國的美聯社也轉播了這條消息。

籌委會的工作人員見到這份公函，都深受鼓舞。最開心的，顯然是程如峰。他感到自己正在從事著爲世界人民所關注的事業。他立即把這消息告訴給妻子，也好讓妻子樂上一回。他說：「孩子媽，這不是值得慶賀和驕傲的一件事嗎？」

一天，他在街上碰到宣奉華，宣奉華從馬路對面跑過來，又高興地告訴程如峰：「那條消息，加拿大、馬來西亞、新加坡、泰國、菲律賓的華文報紙也都陸續刊登了。」

受這件事的啓發，程如峰把清理包公墓以及包公遺骨出土的事，寫成不到一千字的短文，抄成兩份。一份寄給《人民日報》（海外版），很快被選用；一份送給新華社安徽分社，分社傳給總社。總社就在接到稿件的當天，就又以「新華社電訊」發往全國。程如峰眞的連做夢也想不到，這則〈包公遺骨發現記〉的短文，在全國各地一時成了爆炸性新聞，選登的報紙之多之快，令人罕見。

可以這樣說，這條消息是以席捲之勢，迅速地涵蓋了長城內外，大江南北，一夜之間，傳遍全國。

在這之前，一句「包龍圖打坐在開封府」的唱詞，讓許多人誤認爲包公就是開封人。現在，天南地北的中國人、外國人，都知道安徽合肥不僅發現了包拯的遺骨，而且，正在重修被「文革」時期破壞的包拯墓。

遺憾的是，包公的家鄉，對有關包公的這則消息，依然沒有一家媒體做出反映！

尾聲

眞正的包公墓，你在哪裡？

重建包公墓的工程破土動工之後，接下來的事就是把包公遺骨從肥東縣大包村龍山的荒崗野嶺，遷回合肥市。眼看一九八六年的清明節就要到了，根據民間的鄉情習俗，遺骨遷安這樣的大事，只能放在農曆清明的前後。

程如峰把自己的想法向吳翼副市長作了彙報。吳翼覺得很有道理，便以籌建包公墓委員會主任的名義，叫各方做好準備，「遷安」的日子就定在四月四日，清明節前一天的上午。

吳翼特別交代程如峰，要他多費點心，把這方面的有關細節考慮周到一點。其實根本不需要交代，做這樣的事程如峰向來是積極的。

程如峰從包遵元處聽說，一九七三年底，偷葬包氏家族遺骨的時候，曾把十一口木棺匣子裡的遺骨進行了合併，除包公的遺骨保留原匣外，其餘的全裝入到了一個匣子裡。如

今要「遷安」了，當然不能只遷包公一人的，那就要恢復到原先的樣子，得將遺骨（當然有的只是墓土）分成十一份來。

程如峰還考慮到，從遺骨偷葬到現在，已經十多個年頭了，再結實的木棺匣子，埋在地裡，也早該漚朽了，放粉了。想到這，程如峰就叫工地上的石匠，用上好的石料鑿出十一口石棺，以備「遷安」之用。

一九八六年四月四日那一天，天公作美，風和日麗，春光明媚。

肥東縣文集鄉大包村村南的龍山上，一大清早便人聲鼎沸，鞭炮聲不斷。人們懷著崇敬和好奇的心情，從四鄉八村紛紛趕來，參加由合肥市在這裡舉行的「包孝肅公遺骨遷安儀式」。

上午九時，市政府秘書長卓鶴群宣佈遷安儀式開始。十幾掛「千頭鞭」同時被點響，鞭炮聲驚天動地，藍煙霧靄騰空而起，久久繞山不去。

在振聾發聵的鞭炮聲中，人們向包公墓三鞠躬。

接著，合肥市委常委、宣傳部長李之朴作了簡短的講話，他盛讚了包公一生動人的事蹟和偉大的人格。隨後，數百名來自各地的包氏後裔，按照中華民族的傳統方式，隆重地進行了遷安前的祭奠活動。他們按輩分大小，一批批走到包公墓前燒香叩頭。

祭奠完畢，人們用一塊巨大的白布，將整個包公墓罩著，據說這是爲了防止遺骨見天。當幾位彪形大漢開始揮動鐵鍬掘墓時，龍山上下突然變得萬籟俱寂。

掘著，掘著，忽聽一個男人大喊了一聲：

「不對！」

大漢們驚異地停下了鐵鍬。

「怎麼……不對？」

幾個站在墓邊的包氏後裔忙探出身子，向挖開的墓穴望去。

墓穴裡露出了幾個粘滿了泥土的陶罐。

那人肯定地說：「一九七三年遺骨運回來時，我們看得很清楚，都是木匣子分裝的，現在怎麼挖出了瓦罐子？」

包先長也站了出來，吃驚地直搖手：「那次公社書記不准葬，後來又拉了回去，裝遺骨的木棺匣子還在村裡放了一夜，大夥都是看到的。不對頭！不對頭！」

有人大聲責問：「當年到底是誰埋的？」

包先長說：「包先正。」

是的，包公和包公親屬的遺骨都是「聾子」包先正從合肥包遵元家拉回大包村的，又

是他一個人偷偷埋葬的，只有他才說得清。遺憾的是，「聾子」三年前就去世了。

遷安儀式的現場，頓時炸了營。

有人埋怨起來：「我早說這墳不會是包公的，你們非要說是，看看吧！」

有的包氏後裔憤怒了：「摸不著墳頭就領著我們亂叩頭，這不是在糟踐人，開國際玩笑！」

有的在猜測：「是不是邊上的這座？」

有人建議：「乾脆把周圍幾個墳都挖開來看看！」

程如峰撥開人群，擠到墳墓的前面，細細一瞅，由不得也是一個愣怔。挖出的應該是小棺材才對，而且每口木棺材上都寫著人的名字，那些墨筆的名字可是他一個字一個字寫上去的呀。怎麼會挖出陶罐子？

宣傳部長李之朴，秘書長卓鶴群，同樣不知所措，他們怎麼也想不到會鬧出這麼個事來。

程如峰的腦子飛快地轉動著。儘管他無法解釋木匣子怎麼會變成了陶罐子，但他記得清清楚楚：四年前，他來大包村實地考察時，「聾子」包先正領著他看的就是這座墓。他毫不猶豫地走上去，到幾位彪形大漢的跟前，以一種不容置疑的口吻說道：「繼續挖，這

墓沒挖錯，它確實就是包公墓！」

大漢們將信將疑，依然沒動手。

包先長儘管疑慮重重，但經程如峰這麼提醒，也想了起來，忙招呼大家動手。他說：「程老師說得不錯，先正當時帶我們來認的，就是這座墓！」

說著，他指指墓邊的小樹：「這棵樹就是先正做的標記。我記得當時程老師還照了一張相。」程如峰苦笑著點點頭，是啊，有相片爲證。可他怎麼知道會發生這種事呢，否則，他肯定會把那張相片帶來。

由於包先長發了話，大漢們再次揮起鐵鍬。

於是，墓穴裡的陶罐全挖出來了，數一數，十一只，這個數字和當年的木棺匣子的數字正好是吻合的。於是大家猜想，這個「聾子」包先正還是很有心計的，他把木匣換成陶罐，肯定是希望將遺骨存放的年月更久遠一點。再看看十一只陶罐在墓穴裡的排列方式，也挺耐人尋味：最裡頭只是一只，接下來是四只，再下來是六只。不用說，最裡頭的那只，裝的是包公的遺骨。

一場虛驚之後，人們懷著肅穆而又崇敬的心情，將十一只小口大肚的陶罐依次搬上汽車。爲防止混淆，程如峰將那只在墓穴中排放位置十分突出的陶罐上做了一個記號。

回市裡的路上，爲使陶罐不至於在途中顚裂，司機將車開得很穩很慢，等到全部陶罐拉到包公墓園的工地時，已到了正午時分。

程如峰和張林二人因爲在負責籌建包公墓辦公室的日常工作中，都掛有副主任的頭銜，大家散去後，他倆還不能馬上就離開，必須把十一只陶罐，一個個搬放到臨時作爲辦公室的簡易平房裡去。

當他們把所有的陶罐搬進屋，又在地上放穩之後，張林就好奇地向標有記號的那只陶罐走過去。他想來個先睹爲快。

他將那只陶罐輕輕放斜，迎著窗口射進的陽光，歪著腦袋兒，要瞅個究竟。誰知，不瞧便罷，一瞅，竟駭得臉都變了顏色。他惶恐地看著程如峰。

張林說話的聲音都變得有些發抖了：「這裡面……」

「裡面怎麼啦？」程如峰想，莫非裡面躲進去了蛇，或者有其他怪異的東西？

張林急促地喘著氣，好像生怕被其他人聽到似的壓低聲音說：「裡面啥也沒有！」

程如峰原以爲張林在開玩笑。張林說：「不信你自己看，空的。」

「怎麼可能呢？」程如峰趕忙奔過去，迎著外邊的光線，歪著腦袋朝陶罐裡瞅，瞅罷，直覺得腦袋裡「嗡」的一聲。

他也慌了！「這是怎麼回事？」他緊張地思索著，卻怎麼也想不明白。惟獨能想到的，就是趕快看看其餘的陶罐。兩人一陣忙碌過後，全傻眼了：十一只陶罐，全是空的，裡面啥也沒有！

這事來得太唐突，太蹊蹺，誰也沒有心理準備。回想上午在肥東大包村龍山那隆重又莊嚴的「遷安儀式」，便覺得身上冒汗。難道說包公和他的兒孫的遺骨還留在龍山？

當年偷葬這些遺骨的「聾子」包先正已經不在人世，是否還有知情人呢？是否有人知道眞正的包公墓被他埋在了龍山的什麼地方？

程如峰想了一會，壓低聲音對張林說：「既然事情已經這樣，我們最好是保密，不要再對任何人說起，同時，這些陶罐也一定要保存好。」

張林也是個聰明人，他點了一下頭，完全同意程如峰的主張。

程如峰和張林分手後，心情沉重地回到了家。他茶飯不思，頭昏腦漲，直想睡覺；上了床之後，又怎麼也睡不著。

他在反覆思忖：包先正爲什麼這樣做？

「那已是改革開放的第三個年頭了呀。」程如峰極力在回憶。他到肥東大包村考察時，包先正曾一眼就認出了他，說他就是上次送包公遺骨時來的。按說，自己是這麼個身

分，包先正應該信任他，應該把眞實的包公墓址告訴他。再說，當時包先長也在跟前，至少，包先正對自己的這個本家總該說實話。

一想到包先長，程如峰心中一動。他立刻意識到，問題恐怕就出在這個包先長的身上。那天是包先長領著他去找包先正的，在這之前，連包先長也不知道偷運偷葬包公遺骨的就是包先正。就是說，這麼多年來，包先正一直沒有把實情告訴給自己村上的大隊長，顯然，包先正是不希望包先長知道這件事。因爲包先長爲包公遺骨的事挨整受批，吃盡了苦頭，包先正這樣做，是出於對包先長的保護，當然，也是爲了包公遺骨的安全。

這或許正是「聾子」包先正的老謀深算。

當程如峰回憶起八十年代初期的政治形勢時，似乎對包先正不說出眞正的包公墓，有了一些理解。那時的改革，如扭秧歌一樣，並不是一往直前的，總有人說三道四，甚至興風作浪。雖然改革開放三四年了，但報紙、電台上還不斷有人批判穿喇叭褲的小青年是「頹廢的一代」；有的地方竟動員團員、青年上街糾察，遇到穿喇叭褲的就用剪子強剪。北京市居然還公開刊登「禁令」：留披肩髮的女青年不准進入各級政府大門。連跳迪斯可都受到刁難。還記得，李谷一因爲演唱〈鄉戀〉，也由受人歡迎的「歌壇新秀」變成了「黃色歌女」，批判她宣傳「資產階級的靡靡之音」，成爲「腐蝕青年一代的歷史罪人」。

農村就更糟糕。不僅把喇叭褲、披肩髮、迪斯可視之爲「洪水猛獸」，安徽鳳陽縣小崗村帶頭搞起的「大包幹」，在各地農村還普遍遭到強烈的抵制，「姓社」還是「姓資」的一場鬥爭，正廝殺得難解難分；許多黨報黨刊公開討伐「大包幹」，說是「辛辛苦苦三十年，一夜回到解放前」，極「左」的幽靈在到處遊蕩。

有資料表明：直到他那次見到包先正三年後的一九八五年，人民公社才在中國的土地上徹底解體，取而代之的是六萬一千七百六十六個鄉鎮政府，和八十四萬七千八百九十四個村民委員會。這時《人民日報》才評論說，「中國農村改革終於獲得了突破性的成功」。

生活在社會最底層的包先正，不可能具備一個政治家的遠見卓識；他對已經到來的改革開放，仍然缺乏足夠的信賴，這只能說明十年動亂給他造成的傷害是多麼慘痛！

懷著一線希望，程如峰決定再到肥東大包村去走一遭。

去前，程如峰從包義旭那兒彎了一下，打聽到運回包公遺骨的不僅有包先正，還有一個叫黃其榮的年輕人。

程如峰首先找到了黃其榮。但是黃其榮卻對運遺骨的事一無所知。

「你們不是一道去，一道回來的嗎？」程如峰奇怪地問。

「我和包先正一道回來不錯，」黃其榮說，「我只知道車上拉的是飼料。」

「別的一點不知道？」

「一點不知道。」

黃其榮想了想，又補充說：「那天從包公墓裡挖出了醃菜的陶罐，我一下明白了，猜想包先正瞞了我，包公的遺骨肯定也是被他拉回來的。」

程如峰越聽越糊塗：「挖出陶罐，你怎麼就可以肯定包公遺骨也是他拉的？」

黃其榮這才從頭到尾把事情的經過講了一遍。最後說道：「我當時就好奇地問他：『醃多少菜，需要買這麼多罐子？』他假裝沒聽見，把那些罐子在車上放穩實後，就一聲不吭地又上路了。回村後，我們就分了手，至於包公遺骨什麼時候去埋的，我就一點不知道了。」

告別了黃其榮，程如峰又找到包先正家。接待他的，是包先正的兒子包訓祥。一了解，才知道，斗大的字不識一籮筐的包先正，卻出息了一個「知識分子」的兒子。包訓祥人挺斯文，還是大包村小學校的校長。

程如峰仔細打量包先正的家，發現這個家庭裡雖有拿「薪水」的，在大包村算不上最差，卻依然看得出，家徒四壁，幾乎沒有值錢的東西。

程如峰的目光忽然在牆邊的一個碗櫥上停住了。他發現，碗櫥的木料是那樣眼熟，分明就是盛包公遺骨的木棺匣子的材料。不錯，就是用那些木棺的匣子打造的。可以想像，包先正用那時農村常見的塑膠袋把遺骨裝好偷埋後，不捨得把木匣子丟了。打個碗櫥能不能拿得出錢，還很難講。當時買木材也還需要木材票，家裡又正缺少一個碗櫥。

不管什麼原因，程如峰都感到惶惑。裝過死人骨骸的木匣子，怎麼可以用來打碗櫥呢？這顯然是不能用貧窮和不講衛生可以解釋的。或許，這倒更眞實地讓人體會到帶有幾分傳奇色彩的包先正的性格。

程如峰看到和想到的這一切，是不便和包訓祥談起的。他極力想使自己的思緒從眼前移開。沉默了片刻，才問：「你爹走的時候是不是給你交代過什麼話？」

包訓祥略感意外，想了想說：「你指哪一方面。」

程如峰單刀直入：「老祖宗的遺骨，你爹到底埋在哪裡？」

「遷安那天不是已經挖走了嗎？」包訓祥一臉的狐疑。

包訓祥的回答和表情都大出程如峰的意外。他想，是不是因爲自己是個陌生人，第一次見面就談這麼重要的事，對方在搪塞，不願深談？但是，憑他的經驗，似又不像。因爲那種狐疑的神色是十分眞實的，不是一個農村小學教師能夠表演出來的。

可是，程如峰依然不甘心。隔了片刻，他又換了一種問法：「除『遷安』那天挖走的那些陶罐，老祖宗的一部分遺骨是不是還埋在了別的地方？」

包訓祥無聲地搖了搖頭，把話岔走了。

就在包訓祥隨便的閒談中，程如峰有了意外的新發現。他早聽包訓芝提起過，她的父親——守護包公祠的最後一代「恩生」包先海，考慮到自己沒有兒子，曾打算在大包村的親房中間找一個後生做繼子，好讓「恩生」後繼有人。原來包訓芝說的這個「親房中間的後生」，就是今天坐在面前的包訓祥——包先正的兒子！

程如峰一下明白了許多。

難怪包遵元，難怪那個被稱爲「毛老爹」的包義旭，都是這麼信賴包先正，那麼放心地把偷葬老祖宗遺骨的大事交給包先正去辦。這中間，原來還有著這麼一層親密的特殊關係。

走出包先正的家，程如峰對包先正臨終時竟然沒有向包訓祥交代這件事，依然將信將疑。現在事情已經非常清楚，如果包先正撒手而去，連偷埋包公遺骨這樣的事也不交代給自己的兒子，只能說明他對這個社會已經絕望。正如當年包公的遺骨由原葬墓偷移到遷葬墓，肯定是包氏後裔所爲，但這種重要的事，偷葬者也沒有告訴他的後人，以致包氏的子

子孫孫竟無人知情，幾百年來燒香磕頭都拜錯了墳頭。

當然，還有一種可能，那就是，包訓祥可能知道，或是大包村的某個人會知道，他們就是不願說，因爲作爲包氏的後代子孫，他們有權利不讓外人知道。

意識到這一層，程如峰對當年那個已經被埋在公路下面的眞正的包公墓，作爲包公三十三代孫的包義旭，和三十四代孫的包遵元，竟然會一點不知情也產生了懷疑。他們是眞的不知道嗎？眞的只有那個守護墓田的外姓人夏廣宏老人一人知道嗎？是不是可以這樣理解，包義旭和包遵元，比夏廣宏知道得更清楚，只是不願說出來，因爲他們同樣有權利不讓外人知道。

從肥東大包村回到合肥城裡，程如峰的心總算平靜了許多。雖然被偷葬的包公的遺骨，以及包氏家族的遺骨都無法找回。在他去大包村進行墓址考察之前，他已經去找過省博物館的吳興漢了，已經把三十五塊寄往北京鑑定用的包公的頭骨和肱骨提前拿到手裡，藏在了他臥室上了鎖的箱子裡。

這是僅存的包公的遺骨了！

這珍貴如國寶的包公的頭骨和肱骨已存放在他家長達四年之久了呀！

▲部分包公遺骨（34片）。其他四肢骨等大骨，由包家負責安葬，後來失蹤。

有包公遺骨在，哪怕只有三十五塊，包公墓就有了靈魂；重建中的包公墓就不會是「假古董」。

一九八六年六月二十六日，程如峰將精心保存下來的包公的三十五塊遺骨，連同當年北京郵回時用的木盒子，一道獻給了合肥籌建包公墓委員會。

解決包公遺骨的事才告一段落，程如峰就開始籌畫尋找金絲楠木之事。

當年在清理出有包公遺骨和墓誌的一號墓時，他曾注意到，墓棺的底板腐蝕極輕，所用的棺木是由一整塊金絲楠木製作的。要恢復原有的規制，就必須找到這樣的金絲楠木。

經過四處打聽，程如峰得知，北京十三陵發掘時發現，地宮中的那兩口金絲楠木棺材取自於雲貴高原。但雲貴離合肥太遠，運輸起來非常不方便。這以後，又有人說，福建省的漳州市也有這種高檔木材，而且，合肥就有直達福建廈門的快車，大家一合計，就請籌委會的會計葛盛炎和建委的王元順去漳州跑一趟。

葛、王二人輾轉到了漳州，人家一聽說是爲包公墓的事專程來尋找金絲楠木的，別提多熱情，都幫著到處尋找。最後在漳州市南靖縣和溪鄉，找到了山林承包主包浩源。

這事也眞神了，他們一路找過去的這個包浩源，正是包公的後世子孫。包浩源一聽說合肥爲老祖宗修墓急需金絲楠木，二話沒說，立即帶人操傢伙上山。他知道山上有這樣的楠木，但不在一處，就帶人滿山上尋找。別提有多少困難了，包浩源硬是披荊斬棘，領著大夥汗珠兒摔成八瓣，把二十二根寶貴無比的金絲楠木弄下了山。

葛盛炎和王元順感動得不知說啥才好。

更叫二人感動的是，砍下的這二十二根金絲楠木，包浩源分文不要。他說：「算是無償奉獻。」

聯繫火車車皮時，又遇到了麻煩，正是福建省的水果季節，大批的水果需要運往各地。每逢這時候，一切貨物都要給水果讓路，這早已經成爲當地一條雷打不動的規矩。

兩人在貨場裡急得團團轉，最後不得不斗膽去闖貨運辦公室。負責貨運的同志一聽說運的是金絲楠木，是包公家鄉的人民修建包公墓等著要的，就把桌子一拍，發了話：「誰不知道包青天！既然是包公棺木急要的，那咱就叫其他的一切貨物讓路！」說罷，仍覺得不好意思，反倒埋怨二位，「你們怎麼早不說清？」

金絲楠木從福建漳州運出之後，每到一站都備受照顧。鐵路貨運上的麻煩事歷來不少，但這批特殊的「貨物」，卻一路綠燈。

一邊是在想方設法地重建包公墓，一邊卻又將僅存於世的包公遺跡徹底地毀滅。這天，突然傳來的一個消息，讓程如峰簡直不敢相信。

有人要把包公井塡了！

包公井是合肥市今天唯一的一個包公的遺跡和歷史的見證了。《廬州府志》和《合肥縣志》都曾這樣記載：距今九百多年前的一〇五三年，包公回到家鄉擔任廬州太守。他見學府中的學生吃水困難，就親自安排人挖了這口深井。飲水思源，後來人們就把學府中的這口井，稱爲「包公井」。一九四九年程如峰隨部隊進城時，最初就駐紮在學府西邊百餘公尺的一個祠堂裡。那時他常過去散步。包公井附近的古跡還很多，不僅有鳳凰池、狀元橋、尊經閣、啓聖祠，還有大成殿和明倫堂。後來城市不斷改造，包公井一帶古色古香的歷代建築，便陸陸續續在地球上消失了。這幾年，他一心只放在包公墓的研究上，竟也把那口包公井遺忘了。

「難道我們非得把一座城市所有的歷史遺跡，都破壞殆盡，才甘心嗎？」程如峰心急

如焚，忙趕往已經成了合肥四中的昔日學府。只見現場橫七豎八地堆放著鋼筋、木料、散磚、碎石，找了好半天，都沒有看見石井欄。

他詢問附近小屋裡一位像是保管員的老人：「這一片有沒有口井呀？」

老人說：「你問的是包公井？」

程如峰忙說：「是呀，是呀！」

老人指著大片堆積物中間的一張鏽鐵皮說：「那不是！」

程如峰走過去，拎起鐵皮一角，使勁一掀，果然露出一口古井。俯視井底，雖然已經有九百多年的歷史，卻依然是井水如鑑。沒等他說話，老人卻開了腔：「領導上要塡了它，這井就太可惜了！」

回來後，程如峰吃不下飯，睡不著覺。抱著一線希望，他連夜給市委書記楊永良寫了一封信。他在信上強調，由於年代的久遠，包公遺跡物已幾盡毀滅，惟獨包公井倖存至今，彌足珍貴。他還指出，「如將包公井搶救下來，勢必會給這座城市的歷史文化增加光彩，對今天的社會主義精神文明建設和旅遊事業的發展，都將有著不可替代的獨特作用。」爲說明包公井的歷史悠久，他還特地把《嘉慶合肥縣志·學宮圖》也隨信附上。

爲贏得社會輿論的支持，他又在《合肥晚報》上寫了篇〈搶救包公井〉的文章，大聲

疾呼。

但是，這一切都是徒勞的。後來，我們在程如峰提供的材料上，看到了市局兩級領導的有關批文。

市委書記沒有明確的態度，不置可否地把信批給了建委主任厲德才，讓厲「組織有關方面研究反映的問題，如有價值提出保護方案」。

我們不敢相信自己的眼睛，如此珍貴的文物，對於合肥，對於國人，有沒有價值，好像不應有疑問吧！

建委主任顯然認爲不需要「組織有關方面研究」，明確批道：「此處規劃一幢五層樓，已無法再變動。古井保護，只有等今後選擇適當地點恢復。」

爲什麼填包公井的「規劃」「已無法再變動」，沒做任何說明。提出的「古井保護」的辦法，居然是「今後選擇適當地點恢復」。所謂「恢復」，其實就是別處再挖一個井。

後來，包公井被合肥四中的一幢宿舍樓埋掉了。校園裡確實又挖了口井，並被冠之爲「包公井」。只是，假如把北京的天安門搬到上海的浦東去，不知道還叫不叫「天安門」。

一個富有包公精神內涵，歷經了千年的風風雨雨，好不容易才保存下來，並且是不可再造的稀世珍寶——包公井，就這樣，從人們的視線中永遠地消失了。

它消失在一九八六年。

那早已不是史無前例的「無產階級文化大革命」期間，那已經是改革開放的今天，它依然消失了。

重建的包公墓，歷時兩年，終於在公元一九八七年十月一日竣工剪綵，正式對外開放了。

剪綵的那天，像過大年一樣，墓園內外，人山人海，萬頭攢動。台灣同胞、海外僑胞，不遠千里萬里，紛紛聞風而至。在熙熙攘攘的人群中，有一位老人格外引人注目，他就是包公二十九世孫、世界船王包玉剛。他特地攜眷從香港乘專機來合肥謁祖，同時參加包公墓的落成典禮。

包氏家族最後一個「恩生」的女兒包訓芝，和肥東縣文集鄉大包村村長包先長，都被安排在墓園工作。這天，他們特別興奮，忙前忙後迎接著八方來賓。

重建的包孝肅墓園，古木參天，濃蔭匝地，赭色的牆壁、黛色的牆頭，配以古樸的飛簷翹角，和雄偉挺拔的抱柱，一切都於靜謐中透著肅穆。

整個墓園由主墓區、附墓區組成，佔地三公頃，由西向東展開，依次建有石闕、神

門、石像生、享堂、墓塚等，規制甚爲壯觀。祭祀包公的高大享堂，是一座十分典雅的「歇山頂」仿宋建築。內有二十根丹紅塗漆整木大柱支撐梁枋，上懸巨匾三塊。當代書法名家趙樸初、劉海粟、劉炳森分別書有：「清正廉明」，「正氣凜然」、「爲政者師」十二個鎦金大字。

出附墓區，拾級而下，就可以直接走進包公的墓室。墓道兩側，有仿宋古燈導引。到達「地宮」後，首先映入眼簾的，是一方巨石端放在墓道的正中，這就是驚動中外的包拯墓誌銘。誌石之後，便是金絲楠木棺，僅存於世的三十五塊包公的遺骨，被安放在楠木棺中。

安徽教育學院吳孟復和安徽大學李漢秋兩位教授，專門撰寫了〈重建包公墓記〉：

一九八七年十月，合肥市人民政府遷葬鄉賢包公於城南，此處前眺蜀山，後帶包河，四周柳色，十里荷香。寒泉秋菊播廉吏之清芬，朗月光風增廬陽之名勝。

包公名拯，字希仁，謚曰孝肅，北宋眞宗咸平二年（九九九年）生於廬州合肥，即今市屬肥東縣之包村。二十八歲後從政卅多載，清正廉潔不貪財賄，明斷曲直昭雪冤獄，鐵面無私不徇人情，立朝剛毅不畏權貴，生時已有民諺贊曰：「關節不到，有閻羅包老。」自後千年，以清官楷模，演爲説部，播之弦管，情節雖多出增益，實亦其

精神之發揚光大耳。名垂宇宙，氣壯山河，是豈偶然哉？

公以北宋仁宗嘉祐七年（一〇六二年）五月，病逝汴京（今開封），吳奎〈墓誌銘〉言以次年八月歸葬合肥，其即今郊之大興集。人民建國之初，政府即勤加保護，後以十年動亂，移葬肥東之龍山。現以龍山地遠，不便瞻謁，改葬包河之南。凡所建造，皆仿宋制，墓室之外，益以享堂石闕，一一準之宋人《營造法式》。經始於一九八五年秋，完工於一九八七年秋，乃於是年九月二十六日遷包公遺骨奉安於斯。十月一日隆重舉行落成典禮，省市領導暨公第二十九代孫包玉剛爲墓圖揭幕。各界代表瞻仰高風，油然生敬，穆然深思，勵志激濁揚清，振興中華云耳。

這篇〈重建包公墓記〉，其實有兩處是值得推敲的。一是，包公「從政」時間並非「二十八歲後」「卅多載」，準確地說，應爲「三十八歲後從政二十七載」。因爲，包公進士及第後，朝廷先後分配他任建昌知縣及和州稅監，但他辭官不做，留在家中贍養父母，直到父母雙亡守孝期滿，已接近「不惑」之年了。二是，「遷包公遺骨奉安於斯」的時間，應是一九八六年四月四日，農曆清明節的前一天，這是合肥市委、市政府在肥東大包村龍山隆重召開「遷安儀式」的日子，怎麼變成了一九八七年九月二十六日？顯然是在迴避一段隱

情。兩位撰稿的教授未必知情，而知情者又實在不便明說。所以，這篇〈重建包公墓記〉最終並沒豎之於墓園，只是作爲一份一般性的文字資料，後來被收入了《包拯集校注》，算是給二位教授有了個交代。

就在包公墓園對外開放不久，有幾件事是不可不提的：一是合肥市包公研究會正式成立。二是程如峰筆耕多年、長達十三萬字的《包公傳》，可以說是中國第一部眞實記述包公一生的紀實作品，終於拿出了成稿。

還有一事不得不提，這就是，在巨大的「複斗形」的包公墳塋中，程如峰和張林他們埋進去的，是從大包村挖出的那十一只陶罐，和準備盛放遺骨的那十一口石棺。

那十一只陶罐，當然是空的。

那十一口石棺，也只能是空的。

被掩埋的，顯然是一段永遠不打算向外界張揚的，充滿著痛楚、困惑而又無奈的故事。

二〇〇四年十二月二十八日　北京

宋樞密副使贈禮部尚書孝肅包公墓銘

宋故樞密副使、朝散大夫、給事中、上輕車都尉、東郡開國侯、食邑一千八百户、食實封四百户、賜紫金魚袋、贈禮部尚書、謚孝肅包公墓誌銘並序。

樞密副使、朝散大夫、左諫議大夫、騎都尉、濮陽縣開國子、食邑五百户、賜紫金魚袋吳奎纂。

朝奉郎、尚書屯田員外郎、知國子監書學兼篆石經、同判登聞鼓院、上騎都尉、賜緋魚袋楊南仲書，甥將仕郎、守溫州里安縣令文勳篆蓋。

宋有勁正之臣，曰包公。始以孝聞於州閭，及仕，從□□□□□□□□立於時，無所屈。□舉有明效，其聲烈表爆天下人之耳目，雖外夷亦服其重名。朝廷士大夫達於遠方學者，皆不以其官稱，呼之為公。□□□□□□□□□□其縣邑公聊忠黨之士，哭之盡哀。京師吏民，莫不感傷，歎息之聲，聞於衢路。□相屬也。公諱拯，字希仁，廬州合肥

人。天聖五年進士甲科，初命大理評事，知建昌縣。時皇考刑部侍郎家居，皇妣亦高年，樂處鄉里，不欲遠去，公懇辭為邑，得監和州稅。和鄰合肥，皇考妣猶不樂行，遣公之官。公□□□□□□□□□□□□□□□□□□□□□□□□□終養。積數年，皇考妣繼以耆終，公居喪毀瘠甚，廬墓終制。□服除，又二年，方調知揚州天長縣。□□□□□□□□□□□□□□□□□□□□□□□□□□□□□□□□割牛舌，盜即款伏。進丞大理代。還知端州。州歲貢硯，前守率數十倍取之，以其餘□□□□□□□□□□□□□□□□□□□□□□□中□還□□□□□□□□□東排岸司裁。數月，御史中丞王公拱辰援唐制，乞增置御史裏行。遂拜公監□□□□□□□□□□□□□□□□□□□□□□□□□□□□□□□當選將練兵。國任宰相，繫時安危，當取天□□議凡十數事，時邊郡有□□□□□□□□□□□□□□□□□□□□□□□□□□深然□□□□□□□□□□河北河東所籍民兵，以户上下，故多隱□。如約李抱真之法，以丁□□□□□□□□□□□□□□□□□□□□□□□□□□□□□□□□□□□□□□治□矣。遂使契丹國。虜中神水館之□舍，傳有凶怪，人莫敢居。前此數日有三騶入其間，□□□□□□□□□□□□□□□□□□□□□□□□□□□□□□□□□□為京東路轉運使。未幾，改工部員外郎、直集賢院、陝府西路轉運使。詔許朝覲，既辭。□□□□□□□□□□□□□□□□□□

□□□□□□□□□□□□□包拯任陝西，當得金紫。亟令齎賜。行次華陰受服焉。徙河北路，未行。擢為户部副使。嘗奏事。上□□□□□□□□□□□□□□□□□□□□□□□□□□□□□持政之仁暴，惟在薄賦斂，寬力役，救災患，慎行三者，則衣食滋殖，黎庶蕃息矣。上深然之。皇祐二年□□□□□□□□□□□□□□□□□□□□□□□□□□□承佑貪暴不法。公力疏褫其宣徽使、南京留守。以散節為許州兵馬都部署，典祀明堂。恩遷兵部員外郎。□□□□□□□□□□□□□□□□□□□□□□□景靈宮、同群牧制置，□領四使，群議凶凶，公與同列及御史偕上極諫。事未即改，疏復連入。遂罷堯佐宣徽、景靈宮□□□□□□□□□□□□□□□□□□□□□□□□□其忠懇，因定□后妃之家，不得任二府職事。又寫上魏鄭公三疏及條七事。其論□奥，深補於時。四年，進龍圖閣□□□□□□□□□□□□□□□□□□□□□□□無事，時用不餘，請移屯內地，以省大費。事寢，不報。至是，復陳其數，欲諸州才足城守外，屯泊之兵□俾還營，或散處壘□□□□□□□□□□□□□□□□□□□□□□之患。議者復謂戍兵不可驟損，則可訓練。曩所置義勇十八萬。教義勇以秋冬三月番休，按閱補以餱糧，歲費不過屯兵一月。用□□□□□□□□□□□□□□□□甚明。意向之，大臣議不合，乃止。數月，徙高陽關路都部署安撫使、知瀛州。自講和契丹，北邊為無事，守將以宴嬉饋遺為

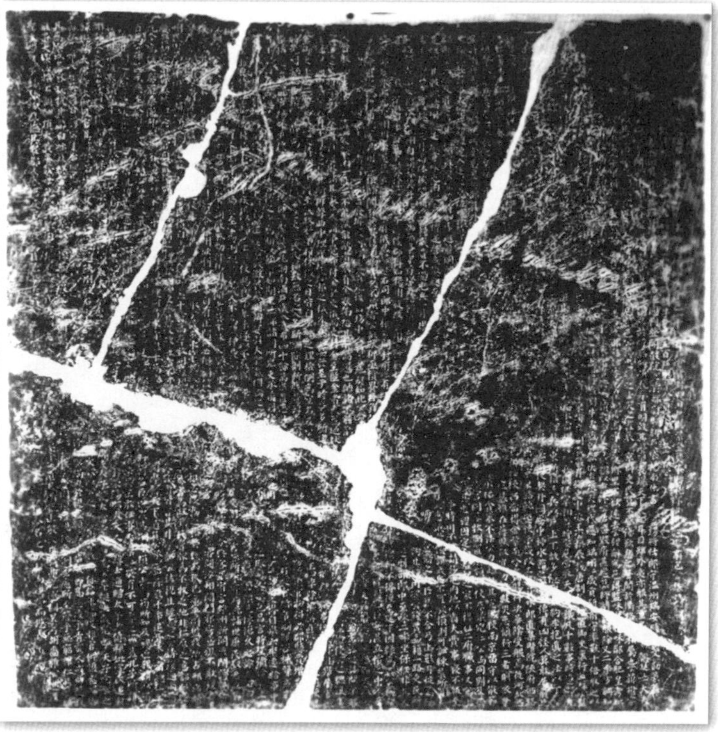

▲包公墓誌銘：長 1.26 公尺，寬 1.25 公尺，厚 0.14 公尺

稱職。□□□□□□□□□□□□□□□□□□□約其經用，罷公錢貿易，籍一路吏民所逋欠積歲不能償者十餘萬，盡奏除之。以喪子，丐便郡，得知揚州。旋改廬州。公性嚴毅，□□□□□□□□□□□□莫不□服。遷弄部郎中。至和二年，坐保任非其人，降兵部員外郎，知池州。明年，還舊官，徙知江寧府。俄召歸。進右司郎中，權知開封府。府有□□□□□□□□□□□□□□□□卻不得徑至廷下。因緣為奸，公才視事，即命罷之。民得自趨至尹前，無復隔閡。有訟貴臣逋物貨久不償者。公批狀，俾亟償。貴臣負□□□□□□□□□□□□□□□置對。貴臣窘甚，立償之。中人有構亭榭盜跨惠民河□表識者，會□詔書，廢堙便河□廬舍，完復舊坊。中人自言地契如此。公命□□□□□□□□□□□□□□□丈餘，得河□表識。即毀徹。中人皆服。遂坐□官。嘗有二人飲酒，一能，一不能飲，能飲者袖有金數兩，恐其醉而遺也，納諸不能飲者，□□□□□□□□□□□□□曰：「無之。」金主訟之。詰問，不服。公密遣吏持牒為匿金者自通取諸其家。家人謂事覺，即付金於吏。俄而，吏持金至，匿金者大驚，乃伏。□□□□□□□□□□□□□□□理檢使。公之總風憲，法冠白□□立，□然有不可凌之勢。其所排擊，曲中理實，壞陰邪之機牙，□敢妄發。至於時事，多所建□□□□□□□□□□使提點弄獄，以職事御史府自舉屬官。諫官御史，不避二府。薦舉之人，待制以上，得至執政私第。損休

假之日，皆自公發之。理檢例為空名，及公□□□□□□□□□咸為□正。四年，除樞密直學士、□□□使。異時，管利柄之臣，概以豐財為意。公所涖職，常急吏寬民，凡橫斂無名之入，多所蠲除。部析裁量，轉虛為□□□□□□□□計□舊庫，務所須官物，科於郡縣，賈增數□□費稱是。公為置官場和市，民□科調之擾，物無虛直之耗。劍南酒户，歲入□布四十餘萬匹，甚患其□□□□□用之□□十餘萬，吏員失官縉帛，觸罪罟械繫，或數□□不能自存，或逃亡遠地。其□□公皆釋之。與為期以輸。率如期至。三部諸司所舉吏，前判□□□□□□□□用，公悉得當舉之官，□□□得自舉。六年，遷給事中，充三司使。數日，遷拜樞密副使。公之舉止，以義以正，達於幾微，敷奏明辨，婁引大體，裁國論之當□□□□□□不□□□□□□□假於人。正色昌言，時望彌洽。上所倚重，體念備至。七年五月己未，方視事，疾作以歸。上遣使賜良藥。辛未，遂以不起聞。車駕□□□□□□□□□□□□才五歲。上顧見，慘愴久之。諭左右曰：包拯公□□□□□□□□□□□御寺傍，吊賜交至。公幼則挺然若成人，不為戲狎，長彌勖厲操守，□□□□□□□□交游□□書無所不覽，至於輔世康民，致君立節，可以訓臣人之失。公性峭直立朝剛毅，為國家事，詞嚴氣勁，件析明白，聞者莫不竦然服從。其□□□□□□□□□□□□時嘗令典客張宥，言雄州新開後門，誘納亡叛，探□□□□□□□□□□□□□□□

也，假令雄州欲刺知此事，自有正門，何必側門□□□□□□為言，本朝豈嘗問涿州開門邪？虜意沮，不敢復言。其□□□□□□□□傷□□□□□□□□使，再以平□科輸□□厚取民。或水旱之災□□□□□□□田租必改動之，裕於民而後已。廣平兩監牧地，占邢、洺、趙三州民田，萬五千頃，多瀕漳水。□□□□□□□民得自占，歲入得粟六十餘萬。群牧司復視其□□□□□□□奏言：為政，奪民膏腴為不牧不之地，非仁厚之意，詔以還民。慶曆初，范宗傑奏榷解州鹽，官自置場，列置縣所鬻之。轉鹽諸郡，吏承其役。破產者不可勝數。□□□□□□議者皆言其非。詔公往視□，且經畫之。公請復通商舊法，迄今為便。又奏罷秦隴所科斜谷造船材木數十萬，□□□所賦建河竹木亦數十萬。□□□□□□□□□□□司專得天下逋負。公承詔，除數十年追胥未入者，總一千二百萬。公雖甚疾惡，至人有□□推以恕心，故其□嚴而無□□□□□□□□君子□□□□□□□□□前朝名臣，既沒，其嗣亦隕。公少為筠所知，及親近懇請以筠族孫，為其嗣之後，丐還田宅。從之。公言治亂興衰之跡，與人論辯□□□□□□□□□□□□□□□□□。公守法持正，敢任事□凜凜然有不可奪之節，蓋孔子所謂大臣者歟！前後奏議為十五卷，皆授據古誼，究砭時病，□德者之言。公曾祖□□□□□□□□□□□氏追封滎陽郡太夫人。祖諱士通，贈太子少傅。祖妣宣□氏，追封馮翊郡太夫人。皇考諱令儀，贈至太保。

皇妣張氏，追封廬陽郡太夫人。初娶張氏，早卒；續娶董氏，封永康郡夫人。子繶，太常寺太祝，先公卒。綖，五歲兒也。天子念公之忠，錄綖為太常太祝，及官其族子若孫數人。女二：一女適陝州硤石縣主簿王向，一女適國子監主簿文效，以公之薨，朝命效為保信軍節度推官，俾護喪歸。即以嘉祐癸卯八月癸酉日，葬公於合肥縣公城鄉公城里。銘曰：□□□□公□□□□□□□德行□躬。竭力於親，盡瘁於君。峻節高志，凌乎青雲。人或曲隨，我直其為。人或善容，我抗其辭。自始及終，言行必壹。□□□□□□□□□□□□□□□□□□□□□□□公憂國□□，視民哀憫。念慮所至，聲乎無窮。維仁能力，維義能果。大奸必摧，不顧細瑣。大義□發，每□□□□□□□□□□□□□□□□□□□□□□□□□□止，能大其職。弗克遠圖，吳穹胡嗇。維公逝沒，聖主咨嗟。多賜秩物，厚撫其家。都人感愴，及乎□□為臣□□□□□□□□□□□□□□萬□□□。惟令名之絜，與淮水而悠長。

The Eurasian Publishing Group
圓神出版事業機構
用心與你對話・視野無限寬廣
究竟出版社
Athena Press
http://www.booklife.com.tw　inquiries@mail.eurasian.com.tw

歷史 Historia 050

包公遺骨記

作　　者／陳桂棣、春桃
發 行 人／簡志忠
出 版 者／究竟出版社股份有限公司
地　　址／台北市南京東路四段 50 號 6 樓之 1
電　　話／（02）2570-3939
傳　　真／（02）2570-3636
郵撥帳號／19423061　究竟出版社股份有限公司
副總編輯／陳秋月
主　　編／黃暐勝
責任編輯／黃暐勝
美術編輯／劉鳳剛
行銷企畫／吳幸芳、范綱鈞
印務統籌／林永潔
監　　印／高榮祥
排　　版／莊寶鈴
總 經 銷／叩應有限公司
法律顧問／圓神出版事業機構法律顧問　蕭雄淋律師
印　　刷／祥峰印刷廠
2007 年 3 月　初版
2007 年 3 月　2刷

人民文學出版社 2005 年 5 月出版
經北京版權代理有限責任公司代理，由人民文學出版社授權台灣究竟出版社在台灣地區獨家出版發行中文繁體字版本

定價 250 元　ISBN 978-986-137-074-3

國家圖書館出版品預行編目資料

包公遺骨記 / 陳桂棣，春桃著. -- 初版 . --
臺北市：究竟， 2007〔民96〕
296面；14.8 × 20.8公分. --（歷史；50）

ISBN 978-986-137-074-3（平裝）

857.85 96000894

1 0 5

台北市南京東路四段50號6樓之一

圓神出版事業機構 收

廣告回函
北區郵政管理局登記 證北臺字1713號
免貼郵票

寄件人：

地址：　　市　　鄉鎮

　　　　縣　　市

路（街）　段　巷　弄　號　樓

電話：（宅）　（家）

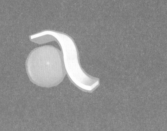